#030 Tragédie

#030 Amertume

CELA FAIT 10 ANS QUE LE 20E ARRONDISSEMENT N'A PAS CONNU UN TEL DRAME, IMPLIQUANT LA MORT D'UN INSPECTEUR DE LA BRIGADE DES GOULES.
LE QG DU C.C.G. ET SON ANTENNE DU 20E ESTIMENT QU'IL S'AGIT LÀ D'UNE AFFAIRE DES PLUS GRAVES. EN CONSÉQUENCE...
LES AUTORITÉS VONT INTENSIFIER LEURS RECHERCHES POUR RETROUVER LA GOULE SURNOMMÉE "LAPIN".
CELA FAIT FROID DANS LE DOS...
QUEL DÉMON, CE LAPIN ...
...

JE VAIS RENOUVELER TA PRESCRIPTION HABITUELLE.
TRÈS BIEN.
MERCI...
JE NE VOIS RIEN D'ANORMAL.
Clinique Kano
Dr Kano
IL NE VOIT "RIEN D'ANORMAL" ?

MON CORPS S'EST TRANSFORMÉ, ET POURTANT ...
L'EXAMEN N'INDIQUE AUCUNE ANOMALIE PAR RAPPORT À UNE PHYSIOLOGIE HUMAINE NORMALE ?

D'APRÈS TOKA...
"LE TAUX DE FACTEUR RC EST 10 FOIS PLUS ÉLEVÉ CHEZ LES GOULES QUE CHEZ LES HUMAINS...
SELON ELLE, UNE ANALYSE DE MES CELLULES PROUVERAIT À COUP SÛR MA NATURE DE GOULE."
ALORS, QU'EN EST-IL ?
LE DR KANO N'A PAS FAIT CETTE ANALYSE ?

OU PRÉFÈRE-T-IL FERMER LES YEUX SUR LA VÉRITÉ ?
SUR LE FAIT QUE LIZE ÉTAIT UNE GOULE...
ET SUR MON ÉTAT ACTUEL ?
ON SE REVOIT DANS UN MOIS.
DOCTEUR...

EST-CE QUE, PAR HASARD...
VOUS AVEZ RENCONTRÉ LA FAMILLE DE LIZE KAMISHIRO APRÈS MON OPÉRATION ?
SON ENTERRE-MENT S'EST DÉROULÉ SANS INCIDENT, D'APRÈS CE QUE J'AI ENTENDU DIRE.

QUANT À SA FAMILLE, ELLE A REFUSÉ DE ME PARLER.
C'EST TRISTE, MAIS JE PEUX COMPREN-DRE.
JE VOIS...

AINSI, LIZE AVAIT UNE FAMILLE ?

UNE FAMILLE DE GOULES, SANS DOUTE ...
J'IMAGINE LEUR RANCUNE À MON ÉGARD...
ELLE DOIT ÊTRE TERRIBLE, LEUR RANCUNE !
PARDON ?!
TU N'AS PAS VU LES INFOS ? JE PARLE DU MEURTRE DE CET INSPECTEUR !
新聞
普及へ「親睦ネット」
L'AFFAIRE EST EXCEPTION-NELLE !
LE DR OGURA EST INVITÉ SUR TOUS LES PLATEAUX !
NE RATE PAS L'ÉMISSION SPÉCIALE SUR LES GOULES, CE SOIR À 22 H... OGURA Y SERA !
EUH... D'ACCORD...
QUELLE TRISTE AFFAIRE, EN EFFET ...

À PROPOS, TU PARLAIS DE RANCUNE ?
EH BIEN, J'AI MOI-MÊME ANALYSÉ LE PROFIL DE L'ASSASSIN... ENFIN, DE LA GOULE MEURTRIÈRE...

REGARDE ...
TU TE SOUVIENS DE CET AUTRE INSPECTEUR, TUÉ IL Y A SEULEMENT 10 JOURS ?
OUI...
EN TEMPS NORMAL, LES GOULES N'ATTAQUENT PAS LES INSPECTEURS... C'EST TROP RISQUÉ !
CES MEURTRES TIENNENT DONC PLUS DE LA VENGEANCE QUE D'UN BESOIN DE NOURRITURE...

À MON AVIS, LE BUT DE LA GOULE ÉTAIT...
D'ÉLIMINER CE DEUXIÈME INSPECTEUR, CE MADO...
C'EST POSSIBLE ...

J'AI UNE COPIE DE L'AVIS DE RECHERCHE...
QUOI ?!
FRISH
FROUSH
LIS BIEN, ICI !
CETTE FILLE EST UNE GOULE !

"SUITE À L'ARRESTATION DE SA MÈRE, IL EST POSSIBLE QUE CETTE GOULE SE VENGE EN ATTAQUANT DES HUMAINS."
TU PENSES QUE CETTE FILLE TUE DES INSPECTEURS POUR VENGER SA MÈRE ?
PAS SI VITE !
J'AI L'IMPRESSION QUE LA FILLE ET LE LAPIN SONT DEUX GOULES DIFFÉRENTES...

LE C.C.G. PARLE UNIQUEMENT DE CETTE "FILLE"...
C'EST LE SEUL ÉLÉMENT QUI PERMETTE DE RAPPROCHER CES DEUX GOULES...
PARCE QU'ELLE ÉTAIT AVEC SA MÈRE AU MOMENT DE L'ARRESTATION...
CEPENDANT, L'AVIS DE RECHERCHE EST PAUVRE EN INFORMATIONS...
CELA MONTRE QU'ELLE S'EST VITE ENFUIE LORS DE L'ARRESTATION...
IL N'Y A MÊME PAS DE PORTRAIT DE CETTE FILLE...
PEUT-ÊTRE QUE SA MÈRE S'EST LAISSÉ CAPTURER POUR LUI PERMETTRE DE S'ÉCHAPPER...

SI CETTE "FILLE" AVAIT ÉTÉ LE "LAPIN"...
ELLE AURAIT PU AIDER SA MÈRE À SE BATTRE CONTRE LES INSPECTEURS. ELLE AURAIT MÊME PU LES AFFRONTER SEULE, D'AILLEURS...
PUISQUE LE MEURTRE DES DEUX INSPECTEURS MONTRE QUE LE "LAPIN" EST PRÊT, PHYSIQUEMENT ET MENTALEMENT, À DE TELS COMBATS.
L'HYPOTHÈSE SELON LAQUELLE CETTE FILLE EST LE LAPIN NE TIENT DONC PAS, SELON MOI.
Taille 1,45 m –
Suite à l'arrestation de sa mère
se venge en attaquant des humains
la plus saugrenue, peut se révéler utile
Vos témoignages nous sont
Merci de votre collaboration !

PAR CONTRE, CE LAPIN POURRAIT TRÈS BIEN COLLABORER AVEC LA FILLE...
AFIN D'EXÉCUTER SA VENGEANCE À SA PLACE.
CETTE EXPLICATION ME PARAÎT DÉJÀ PLUS LOGIQUE.
HIDE...
TU ME FAIS PEUR...
HIDE EST DANGE-REUX ...

JE NE DOIS COMMETTRE AUCUNE GAFFE DEVANT LUI...
SINON, IL COMPRENDRA TOUT DE SUITE.

ET DANS CE CAS, CE SERA LA FIN.

CETTE AFFAIRE T'INTÉRESSE DONC...
AU POINT DE MENER TA PROPRE ENQUÊTE ?
OUI, EN FAIT... C'EST À CAUSE DE...
CE LIVRE !
IL EST INCROYABLE !!
J'EN SUIS RESTÉ BOUCHE BÉE, KEN !!
LES GOULES ENFIN MISES À NU !
HISASHI OGURA
MAAWA

C'EST QUOI CE TRUC ?
COMMENT ÇA ?
C'EST "LES GOULES ENFIN MISES À NU", DU DR OGURA !
IL ANALYSE LES GOULES SUR LES PLANS BIOLOGIQUE ET PSYCHOLOGIQUE ...
JE NE LIS PAS DE ROMANS... MAIS ÇA, PAR CONTRE...
PAM
LES GOULES ENFIN MISES À
LES RAPPORTS D'ENQUÊTE M'ONT CAPTIVÉ...
PAR EXEMPLE, CE "CLOWN" ET SA BANDE DU 3E ARRONDISSEMENT ...
OU CETTE GOULE "MATSUBARA" QUI A QUITTÉ SA CAMPAGNE POUR TOKYO...
...
MAIS OUI, J'AVAIS OUBLIÉ...
HIDE EST QUELQU'UN DE TRÈS INFLUENÇABLE ...
OUAH, C'EST DINGUE !
JE VAIS APPRENDRE LE KUNG-FU, MOI AUSSI !
HAII !!
JE NE COMPRENDS RIEN À CETTE CHANSON MAIS ELLE EST TROP COOL ! JE VAIS APPRENDRE L'ANGLAIS !
Tell me why
C'EST UN TOUCHE-À-TOUT QUI SE LASSE VITE...

ARRÊTE, HIDE...

JE T'EN PRIE...

SALUT LE CACHE-ŒIL !
PAM
IL PARAÎT QUE TU AS ÉCRASÉ UNE COLOMBE ?!
T'ES INCROYAB' !!
EUH...
MOI ?
PAM

IL CHERCHAIT DE LA NOURRITURE ET IL A TOUT VU !
GWEH HÉ HÉ...
IL ÉTAIT LÀ QUAND TU AS ÉCLATÉ CET INSPECTEUR EN DUEL !

OOOH...
TU ES PLUS FORT QUE TU EN AS L'AIR !
EUH...
T'ES DINGU' !!
ON COMPTE SUR TOI POUR ÉCRASER TOUTES LES COLOMBES !

BATTRE CET INSPECTEUR N'ÉTAIT PAS DANS MES INTENTIONS...
TOUS LES CLIENTS SONT DES GOULES, EN CE MOMENT... D'OÙ L'EXCITATION GÉNÉRALE !
EN TOUT CAS, TU ES DEVENU POPULAIRE !
ON DIRAIT BIEN, OUI...
JE ME DEMANDE POURQUOI ...

MOI-MÊME, QUAND J'ÉTAIS JEUNE, JE PASSAIS POUR UN MAUVAIS GARÇON, UN VOYOU...
ON M'APPELAIT LE "SINGE DÉMONIAQUE", DANS LE 20E... QUE DE SOUVENIRS ...
ÇA... ÇA ALORS...
LE "SINGE DÉMONIAQUE" ?
S'IL LE DIT...
OH...
...
E... EXCUSEZ-MOI, PATRON...
J'AIME-RAIS VOUS PARLER ...

JE SUIS DÉSOLÉ POUR CE DUEL...
JE N'AURAIS PAS DÛ AGIR SEUL...
LES INSPECTEURS RISQUENT DE VENIR EN NOMBRE DANS LE 20ᴱ, À CAUSE DE MOI...
JE VOUS PRÉSENTE MES EXCUSES...
QU'EST-CE QUE TU RACONTES ?

PARDON ?
C'EST À MOI DE TE REMERCIER, AU CONTRAIRE.
YOMO M'A EXPLIQUÉ...
CE QU'IL S'EST PASSÉ CE JOUR-LÀ.

TU T'ES BATTU POUR PROTÉGER DES GOULES ALORS QUE TU ES HUMAIN.
CELA M'A RENDU SI HEUREUX...

D'AUTRE PART, C'EST À MOI DE TE PRÉSENTER ...
NON... OUBLIONS CELA.
?

À CE PROPOS, PATRON...
OUI ?
J'AIMERAIS PARLER À HINAMI...
OH...
ELLE N'EST PLUS ICI.
TU L'IGNORAIS ?
PARDON ?!
C'EST ELLE QUI A SOUHAITÉ PARTIR.
MAIS... ELLE N'EST QUAND MÊME PAS ALLÉE DANS LE 24E ?!

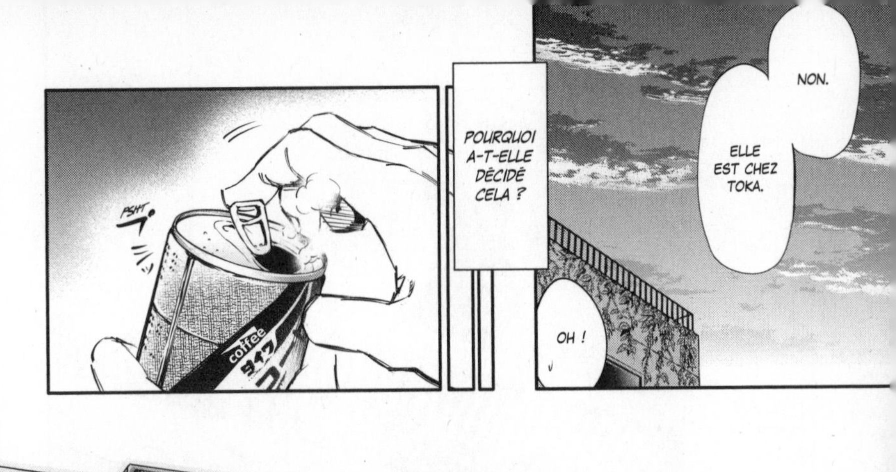
NON.
ELLE EST CHEZ TOKA.
OH !
POURQUOI A-T-ELLE DÉCIDÉ CELA ?
PSHT
coffee

5000人に当たり缶!!
GEORGIEE
SENTOR
LOVEBOD
...
CETTE AMERTUME...

#031 Yoriko

Lycée Kiyomi
QUAND ON PARLE DE LA FIN DU XVIIIE SIÈCLE AU JAPON...
IL FAUT PENSER AUX TROIS SÉRIES DE RÉFORMES QUI MARQUENT LA FIN DE L'ÉPOQUE D'EDO, NOTAMMENT LES RÉFORMES DE L'ÈRE KANSEI...
TU AS VU, À LA TÉLÉ ?
À PROPOS DU MEURTRE DE L'INSPECTEUR...
ELLE EST PAS MAL, LA NOUVELLE CHANSON DES BLACK BEAR...
C'EST ARRIVÉ JUSTE À CÔTÉ D'ICI, PRÈS DE L'ÉCOLE KASAHARA !
WIP
WIP

No.
que ces réformes ont été mises en place.
mouvoir les arts martiaux et stopper le gaspillage économique
été appliquées.
crutement de talents par le gouvernement) fût mis en place.
pplication de la rigueur économique
"TANT QUE JE N'AURAI PAS TUÉ... "ŒIL ÉCARLATE"... DE MES MAINS..."
MLLE KIRISHIMA ...
...
TOKA...
MLLE KIRISHIMA !!
OH !
OUI ?!

TU AS DES SOUCIS, TOKA ?
TU ES DANS LA LUNE...
NON, ÇA VA...
VRAIMENT ?
TU SEMBLES FATIGUÉE, TU NE SUIS PAS LE COURS... PARLE-MOI, SI TU AS DES ENNUIS...
...
TU VEUX SAVOIR ?!
J'AI MES RÈGLES, VOILÀ !! TU ES CONTENTE ?!
C'EST DONC ÇAAA...
...
...
TU T'INQUIÈTES TROP POUR MOI, YORIKO.
TU TROUVES ??
POURTANT, JE LE VOIS TOUT DE SUITE À TON VISAGE QUAND ÇA NE VA PAS...
QUOI ?
RÉPÈTE UN PEU ?!
OH !
C'EST L'HEURE DU DÉJEUNER !!

TU N'AS QUE CE PAIN À LA CONFITURE ?
ÇA ME SUFFIT...

ET PUIS, C'EST PRATIQUE ET RAPIDE À MANGER...
BEURK...

ON EST ENCORE EN PLEINE CROISSANCE, TOKA !
TU DOIS MANGER QUELQUE CHOSE DE PLUS CONSISTANT !

TIENS !
WIP
HEIN ?

ALLEZ, MANGE !

...
JE TE JURE...

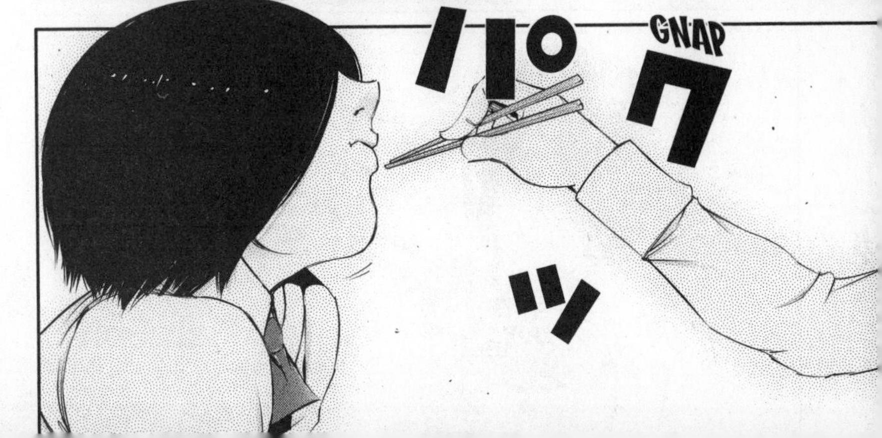
GNAP
ハパクッ

CETTE FOIS, J'AI CHANGÉ L'ASSAISONNE-MENT...
MIAM
MIAM
君の未来へ
進んでゆ

GLOUPS

ALORS ?

...

SNAP
AÏE !

C'EST TRÈS BON !
MOUAIS... AVOUE QUE TU DIS ÇA POUR ME FAIRE PLAISIR !
HI HI...

OUGH...
...
KHH...
OUUH...

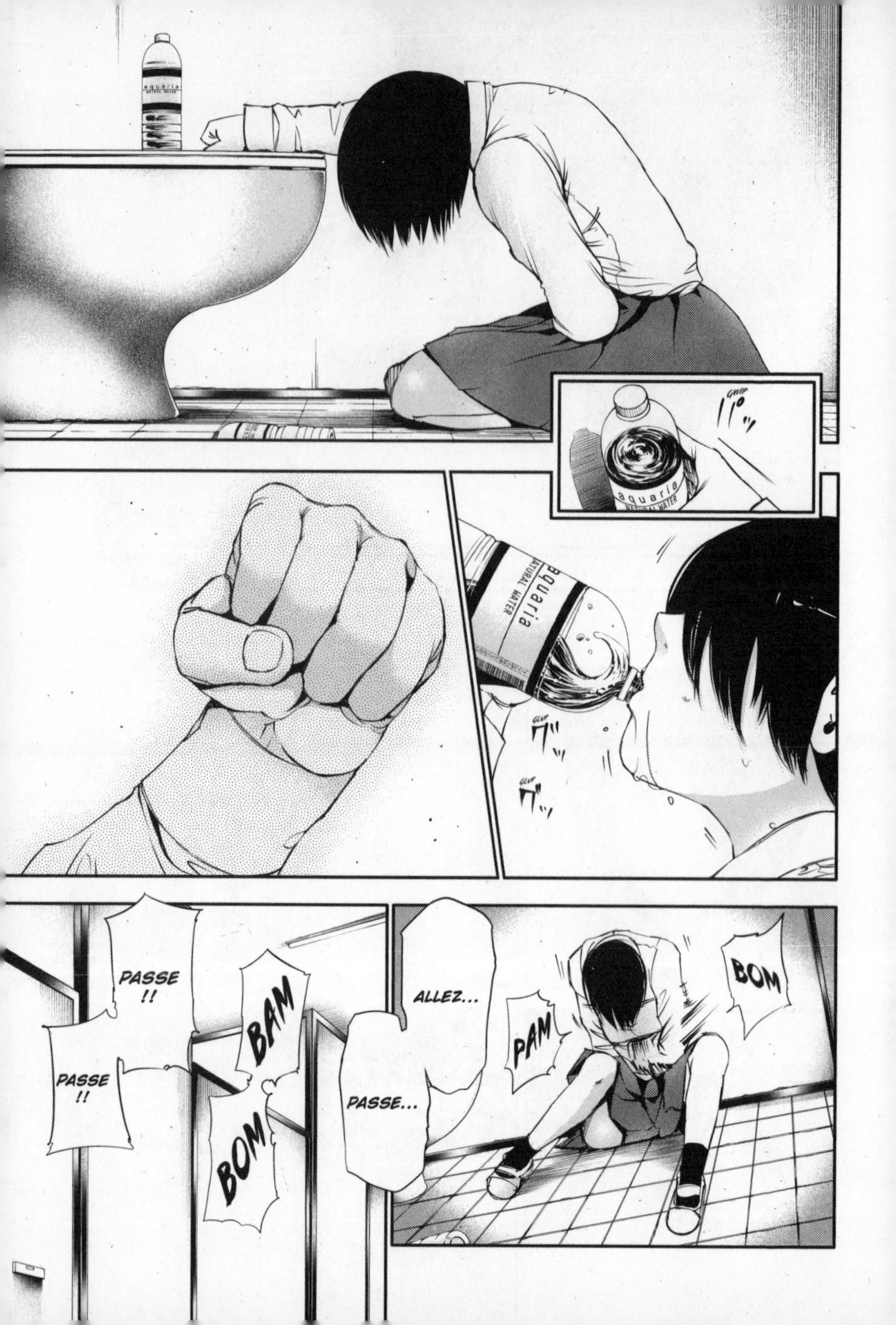
aquaria
GWIP
aquaria
NATURAL WATER
aquaria
NATURAL WATER
GLUP
GLUP
BOM
PAM
ALLEZ...
PASSE...
BAM
PASSE !!
PASSE !!
BOM

HAA...
MERCI YORIKO...
HAA...
J'AI BIEN MANGÉ...

TOKA ! QUEL HASARD...

TIENS DONC...
AINSI, TU AIMES RÔDER AUTOUR DE CHEZ MOI...
JE... JE NE SUIS PAS UN PERVERS, JE TE JURE !
TU VEUX QUOI, DANS CE CAS ?

C'EST MOI, HINAMI...
!
BONSOIR TOKA !
OUH !
TIENS ?
C'EST TOI, KEN !
COMMENT VAS-TU, HINAMI ?

TU SAIS QUE KEN A ATTENDU 30 MINUTES DEVANT L'APPARTEMENT ?
ÇA FAIT FROID DANS LE DOS, NON ?
OOH...
...

DIS DONC, HINAMI ...
TU AS COUPÉ TES CHEVEUX ?
OU... OUI !

C'EST TOKA QUI L'A FAIT !
OUAH, IMPRESSIONNANT ! SON TRAVAIL EST DIGNE D'UN VRAI COIFFEUR !
OUI... SANS DOUTE...
QU'EST-CE QUI T'AMÈNE ICI, AU FAIT ?
AH...
OUI...

LE PATRON M'A DIT QUE TU DEVAIS DÉPLACER DES AFFAIRES...
POUR LIBÉRER DE LA PLACE DANS LA CHAMBRE D'HINAMI...
JE SUIS VENU TE DONNER UN COUP DE MAIN...
JE SUIS SURTOUT LÀ PARCE QUE JE M'INQUIÉTAIS POUR HINAMI...

IL FAUT VRAIMENT QUE TU TE MÊLES DE TOUT...
BON, TU VAS M'AIDER À DÉPLACER QUELQUES MEUBLES...
AVEC PLAISIR !
AH, HINAMI ...
VOICI UN LIVRE, SI JAMAIS TU T'ENNUIES ...

DING DONG
DE LA VISITE, ENCORE ??
TAP TAP
QUI EST-CE ?

?!
QU'EST-CE QUE YORIKO VIENT FAIRE ICI ?!
WISH

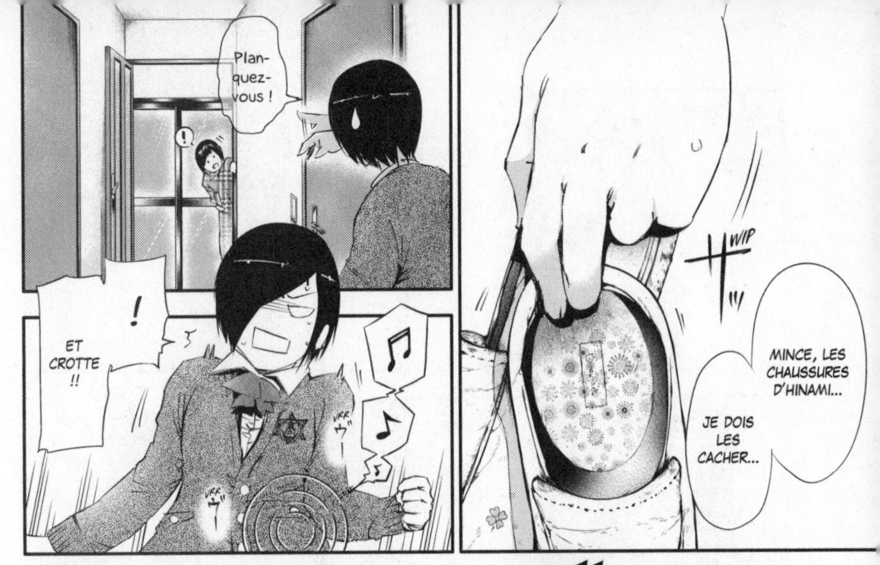
WIP
MINCE, LES CHAUSSURES D'HINAMI...
JE DOIS LES CACHER...
Plan-quez-vous !
!
!
ET CROTTE !!
VRR
VRR

!
QU'Y A-T-IL, YORIKO ?
JE PASSE À L'IMPROVISTE ...
DÉSOLÉE...

TU N'AVAIS PAS L'AIR BIEN AU LYCÉE, ALORS...
AH OUI ?
JE M'INQUIÉTAIS POUR TOI...
JE SUIS COMME D'HABITUDE, NE T'EN FAIS PAS...
ALLONS, TOKA...
JE NE SUIS PAS AVEUGLE ...
!
AUTREFOIS DÉJÀ, QUAND TON PÈRE EST PARTI À L'ÉTRANGER POUR SON TRAVAIL...
TU AVAIS CE MÊME AIR TRISTE ...

DÉSOLÉE SI JE ME FAIS DES IDÉES...
...

?
CES CHAUSSURES ... AYATO EST RENTRÉ ?
TINK
OH !
AYATO ?

OOOH...
J'Y CROIS PAS, TOKA... CE GARÇON, C'EST TON...
?
PARDON POUR LE DÉRANGEMENT !!
HEIN ?
YORIKO, ATTENDS ...

OH, À PROPOS !
JE COMPTAIS MANGER AVEC TOI, MAIS...
?
TIENS ! JE T'AI PRÉPARÉ UN BON PETIT PLAT !
DÉGUSTE-LE AVEC TON PETIT AMI !
ばん
TADAM
QUOI ?!
AVEC QUI ?!
...
"COURAGE", HEIN ? SUPER...

C'EST QUOI, CETTE MARMITE ?
C'EST YORIKO, UNE COPINE, QUI M'A PRÉPARÉ UN REPAS...
ELLE A VITE FILÉ EN VOYANT TES CHAUSSURES...
J'IGNORAIS QUE TU AVAIS UNE COPINE, TOKA...
TU VEUX TE PRENDRE UN PAIN ?
AINSI, ELLE A UNE AMIE...
C'EST DOMMAGE, MAIS TANT PIS... JE VAIS LE JETER !

AT-TENDS !!
GWIP
QUE FAIS-TU ?!
TU NE VAS QUAND MÊME PAS MANGER ÇA...
BIEN SÛR QUE SI !
MAIS...
ELLE S'EST DONNÉ DU MAL POUR ME PRÉPARER CE PLAT !

MOI, JE PASSE À TABLE !
...

JE...
...
JE VAIS T'AIDER...

TIENS !
...

!
LES...
LES POMMES DE TERRE SONT À LA FOIS DURES ET PÂTEUSES COMME DE LA CRAIE !!
LES OIGNONS CRAQUENT SOUS LA DENT COMME DES AILES D'INSECTE !!

LA SOUPE M'AGRESSE L'ESTOMAC COMME DE L'EAU TIRÉE DES ÉGOUTS...
?!
ET CET ARRIÈRE-GOÛT ! QU'EST-CE QU'ELLE A RAJOUTÉ DANS CE PLAT, YORIKO ?! DES MINES DE CRAYON ? CETTE CACOPHONIE DE PUANTEURS EXPLOSE DANS MA BOUCHE EN VAGUES SUCCESSIVES... COMMENT UN PLAT SOIGNEUSEMENT PRÉPARÉ PEUT-IL ÊTRE AUSSI INFECT ?!

...
OUH ...

LAISSE TOMBER, JE ME CHARGE DE FINIR.
TU NE MÉRITES PAS LA CUISINE DE YORIKO...

OH. OUI... OUUH... C'EST RÉUSSI !
OOH... JE... JE COMPRENDS QU'ELLE VEUILLE DEVENIR CUISINIÈRE ...
...
ELLE TIENT DONC TANT QUE CELA À SON AMIE ?
OURGH...
ELLE NE POURRA JAMAIS TOUT MANGER ...
QU'EST-CE QU'ELLE A, TOKA ?
ELLE S'EST BIEN BATTUE, VOIRE TROP...
...

UN PEU D'OMELETTE !

UNE SAUCISSE !

DU POULET FRIT !

QUI ÊTES-VOUS ?! COMMENT ÊTES-VOUS ENTRÉ CHEZ MOI ?!
JE VOUS PRÉVIENS... J'APPELLE LA POLICE !!
PARDONNEZ-MOI DE VOUS DÉRANGER SI TARD...
#032

ALLONS, MLLE KARUBE... CALMEZ-VOUS ...
VOUS... VOUS CONNAISSEZ MON NOM ?
JE NE VOUDRAIS PAS AGGRAVER LES CHOSES...

MISONO KARUBE, MA CHÈRE SERVEUSE DU CAFÉ DE LA GARE...
IL Y AURA UN MORT, SI VOUS APPELEZ LA POLICE...

VOUS ÊTES COMPLÈTEMENT FOU...

FOU D'EXCITATION, OUI !
WISH
KHH...

VOS PRUNELLES SÉPIA SONT REMARQUABLES...
WIP

LEURS NUANCES SONT MAGNIFIQUES...

#032 Gourmet

TU T'ENTRAÎNES, AU MOINS ?
OUI !
JE ME SUIS MIS À LA COURSE, LE SOIR !
J'IGNORAIS QUE BOUGER SON CORPS POUVAIT ÊTRE AUSSI AGRÉABLE !

MMH...

DOF

TU AJOUTERAS QUELQUES EXERCICES DE MUSCULATION.

LES COLOMBES ENCORE EN VIE SE PRÉPARENT À NOUS CHASSER.
ON RISQUE BIEN DE TOMBER SUR DES INSPECTEURS PLUS AGUERRIS ...

D'AILLEURS... JE DOIS DEVENIR PLUS FORTE, MOI AUSSI...
...
TU AS DE LA CHANCE, SUR CE POINT...
CAR TU AS HÉRITÉ DU KAGUNE DE LIZE...

TIENS, VU QUE TU EN PARLES...

J'AIMERAIS ÉVITER DE L'UTILISER, DÉSORMAIS...

À MON AVIS, JE DOIS ME MÉFIER...
DES FORCES QUE JE NE PEUX CONTRÔLER ...
JE NE SUIS PAS TAILLÉ POUR L'UTILISER, CE KAGUNE...
JE N'AURAI QUE MES YEUX POUR PLEURER, SI JE FINIS PAR BLESSER QUELQU'UN À CAUSE DE LUI...

D'AUTRE PART, JE NE VEUX PLUS PASSER MON TEMPS À COMPTER SUR LES AUTRES...
...

ET DONC ?
TU VEUX TE BATTRE À MAINS NUES, DÉSORMAIS ?
EN... EN FAIT, J'AIMERAIS APPRENDRE TON STYLE, TOKA...
CELUI QUI T'A PERMIS D'ÉCRASER NISHIKI ...
CELUI-LÀ... PAPAM PAM !
TA TECHNIQUE ME PARAÎT EFFICACE, CONTRÔLÉE, ET MESURÉE ...
WIP WIP

SI TU LE DIS ...
MAIS C'EST DOMMAGE DE TE RESTREIN-DRE...
...
SI TU VEUX TE BATTRE COMME MOI, TU DOIS AU MOINS...
MAÎTRISER LE SALTO ARRIÈRE...
LE SALTO ARRIÈRE ?!

TAP

MES... MES MAINS ...
ME... ME LES LÂCHE PAAAS... OUUH...
FERME-LA, UN PEU...
TIENS ?
AÏE ! OUILLE !

YOMO !
OUH
OUH
OH... BONSOIR...
QU'EST-CE QUE VOUS FABRIQUEZ, TOUS LES DEUX ?
ON S'EN-TRAÎNE !
AU SALTO ARRIÈRE...
JE... JE TOMBE, TOKAAA ...
...

KEN...
OU... OUI...
QU'Y A-T-IL ?
TU ES PASSABLE AU NIVEAU DE L'ESQUIVE...
AÏE !
MAIS POUR LE RESTE, TU ES NUL.
BONK
OUPS, PARDON !

C'EST VRAI, OUI...
DEBOUT.
ESSAIE DE ME FRAPPER.
PARDON ?

...
TAP
LE FRAPPER ?
MAIS OÙ, ET COMMENT ?
JE DOIS TOUT DONNER, PAR RESPECT...
VOUS ÊTES PRÊT ?

J'Y VAIS !
WOUSH
ENCHAÎNE VITE, QUAND TU RATES UN COUP...
DOF
UTILISE TES JAMBES ...
WIP
ÇA NE VA PAS DU TOUT...
STAK
C'EST NUL.
GWIA
...
OUAH !!

TON CENTRE DE GRAVITÉ EST BEAUCOUP TROP HAUT.
TOKA...
!
À TON TOUR.

PAM
PAM
ÇA FAIT UN BAIL QU'ON NE S'EST PAS ENTRAÎNÉS ENSEMBLE, YOMO...
DEUX CONTRE UN, ÇA TE VA ?

...
CETTE EXPRESSION, C'EST... "ARRÊTEZ LES BLABLAS ET VENEZ" !

ALLEZ, DEBOUT ...
ESSAYONS AU MOINS DE LE TOUCHER...

STAP
MFF...
WOUSH
WIP
BONK
OH !
OUGH !

DOM
ゴッ

STAP
TOKA...
MFF

SOIS PLUS MÉTHODIQUE AVEC KEN.
COMMENCE PAR LUI ENSEIGNER LES TECHNIQUES DE BASE.

ET NE MANGE QUE LE NÉCESSAIRE.
TU AS PERDU EN AGILITÉ.

RIEN À FAIRE... IL EST BEAUCOUP PLUS FORT...
JE DOIS M'ENTRAÎNER DAVANTAGE ...
TOUT DE MÊME, QUELLE DIFFÉRENCE DE NIVEAU ENTRE LUI ET NOUS...
D'AILLEURS ...

QU'EST-IL VENU FAIRE ICI, YOMO ?

OUH...
OUH...
?

PLIC ボタ
AU SECOURS ...
PLIC ボタ
KYAAH !!
À L'AIDE...
QU... QUELLE HORREUR ...
OUH...
OUH ...
JE NE VOIS PLUS RIEN...
OUH ...

UNE GOULE SURNOMMÉE LE "GOURMET" SERAIT RESPONSABLE ...
CE TYPE...
IL PROFITE BIEN DU DÉCÈS DE LIZE...
ENCORE LUI...

LE GOURMET... J'AI VU LA FICHE DU C.C.G...

TILING TILING
BONJOUR ...

MMH... QUELLE SENTEUR EXQUISE...

LE CALME DE CE LIEU M'AVAIT MANQUÉ...
BONJOUR !
IL EST BEAU COMME UN MANNEQUIN...
...
TOKA, MLLE IRIMI !
HA HA HA
ÇA FAIT LONGTEMPS !
QUE VEUX-TU ?
TOKA LE CONNAÎT ?

ARRÊTE DE M'INTIMIDER... JE SUIS JUSTE PASSÉ DIRE BONJOUR !
TU ES TOUJOURS FROIDE AVEC MOI, TOKA...
MAIS BON...
CELA FAIT PARTIE DE TON CHARME, APRÈS TOUT...
TON SNOBISME ME DÉGOÛTE...
!

LE GARÇON AU CACHE-ŒIL...
C'EST BIEN TOI ?
LE FORT-À-BRAS QUI A ROSSÉ CET INSPECTEUR ?
EUH... PLUS OU MOINS, OUI...
LE "FORT-À-BRAS" ?
JE SUIS KEN KANEKI.

WIP
KEN, N'EST-CE PAS ?
BIEN...
EUH... JE...
WIP
JE NE TE PENSAIS PAS SI FIN ...
WIP
ET QUEL PARFUM MYSTÉRIEUX ...
SNIFF
HII...
HÊ !

FICHE LE CAMP ! TU GÊNES LE PERSONNEL ET TU ME DÉGOÛTES !
OUSTE
...
QUELLE VULGARITÉ, TOKA...
JE PASSERAI À L'OCCASION, POUR BOIRE UN CAFÉ...
QUAND M. YOSHIMURA SERA LÀ...
SUR CE, KEN, AU REVOIR !

ET À BIENTÔT...

QUI EST CET HOMME ?

UN EMMERDEUR DU 20e...

TU FERAIS MIEUX DE L'ÉVITER, SINON...
IL VA TE CRÉER DES PROBLÈMES ...

TAK
TAK

BIENVENUE DANS NOTRE ÉTABLIS-SEMENT...
BONSOIR ...

APPORTEZ CECI AU CHEF, POUR UN "SAUTÉ"...

TOUT DE SUITE, MONSIEUR.

HO HO HO ...
VOUS EXAGÉREZ...
JE VOUS ASSU-RE...
QUELLE COULEUR SPLENDIDE !
PLUSH
MIOM
ぱ
KEN KANEKI, DU CAFÉ "L'ANTIQUE" ...
IL DÉGAGE UN FUMET...
DES PLUS ENVOÛTANTS ...
Shu Tsukiyama
Goule – Le Gourmet

0 3 3
VOICI DONC L'UNIVERSITÉ KAMII...
KEN ÉTUDIERAIT ICI...
VOUS L'AVEZ DÉJÀ VU À LA FAC, CET HOMME ?
IL A DE SI LONGUES JAMBES...

#033 Flatteries

FLIP
パラ
TIP
カッ
カッ
TIP
CRIP
PLOC
ポチャ
古武術 技術・情報誌
BUSHIKI
KOBUSHIKI
古武式
定価570円
道衣は一
TAZAKI

古武術 技術・情報誌
KOBUSHIKI
定価570円
PFF...

LE CAFÉ DU DISTRIBUTEUR EST VRAIMENT MAUVAIS...

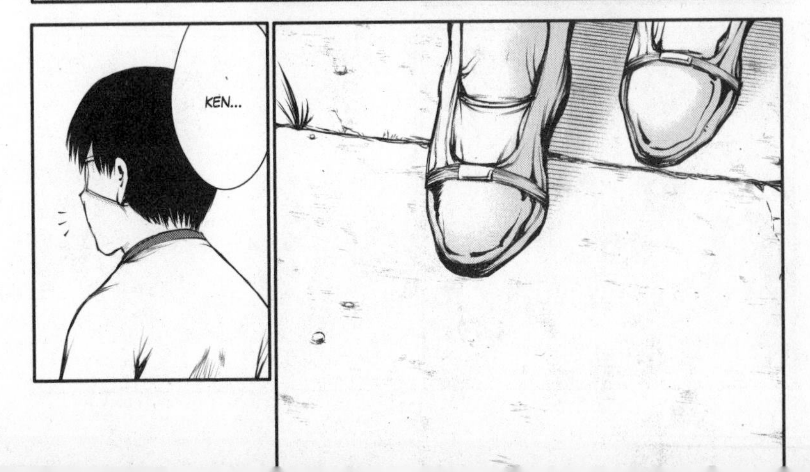

KEN...

SALUT !
?!
BON... BONJOUR, EUH...
SHU TSUKIYAMA.

JE PEUX M'ASSEOIR ?
JE VOUS EN PRIE.
ALORS, M. TSU-KIYAMA ...
QUEL BON VENT VOUS AMÈNE ?
JE SUIS ICI POUR TOI.

CE SERAIT PAS MAL COMME RÉPONSE, NON ?
OH !
JE... COMMENT DIRE...
IL ME FAIT PEUR...

C'EST DONC LUI, LE GOURMET...
L'EMMERDEUR DU 20E, SELON TOKA.

JE ME DEMANDE POURQUOI IL ME TOURNE AUTOUR...
QU'A-T-IL DERRIÈRE LA TÊTE ?

C'EST UN LIVRE SUR LES ARTS MARTIAUX ?
AH... OUI...
MMH ...
ÇA NE TE RESSEMBLE PAS ...

JE TE VOYAIS PLUS COMME UN AMATEUR DE VRAIE LITTÉRATURE...
EUH...
C'EST LE CAS, EN TEMPS NORMAL ...
MAIS CELA M'INTÉRESSE AUSSI, DEPUIS PEU...
LES ARTS MARTIAUX ?
OUI... À CAUSE...
DE TOUS CES TROUBLES, SANS DOUTE...

JE VOIS...
TU CHERCHES À T'INSTRUIRE POUR TE DÉFENDRE...
CEPENDANT, CE GENRE DE LIVRE NE DOIT PAS TE PROCURER UN GRAND PLAISIR...
EH BIEN, SANS VOULOIR CRITIQUER CE LIVRE ...
JE DOIS AVOUER QUE SA LECTURE NE ME PASSIONNE PAS...
CEPENDANT, AVANT DE LE LIRE...

J'AVAIS DU MAL À ME REPRÉSENTER LES SCÈNES DE COMBAT DES ROMANS...
SURTOUT LES MOUVEMENTS DES COMBATTANTS ...
MAIS MAINTENANT, AVEC MES QUELQUES CONNAIS-SANCES...
J'ARRIVE À IMAGINER CE GENRE DE SCÈNES ...

ELLES M'ENNUYAIENT AUTREFOIS, MAIS CE N'EST PLUS LE CAS GRÂCE AUX LIVRES D'ARTS MARTIAUX...
ALORS JE NE REGRETTE PAS D'Y CONSACRER DU TEMPS...
JE TE COMPRENDS...

IL EST VRAI QUE MAÎTRISER UN MINIMUM LES SUJETS ABORDÉS DANS UN LIVRE...
NOUS AIDE À COMPRENDRE PLUS EN DÉTAIL L'UNIVERS QU'IL DÉCRIT.
PARFOIS, UNE SIMPLE LIGNE NOUS PROJETTE DANS UN MONDE INCONNU...
C'EST VRAI, OUI...
D'APRÈS MOI, QUAND ON OUVRE UN LIVRE...
PLUS ON S'APPROCHE DE LA CONSCIENCE DE L'AUTEUR ...
ET PLUS ON PEUT SE PROJETER DANS L'UNIVERS DE SES ŒUVRES ...
JE TREMBLE D'EXCITATION QUAND, ENFIN, JE PEUX RÊVER LIBREMENT...
AU FIL DE CETTE TRAME TISSÉE PAR L'AUTEUR...

JE VOIS QUE VOUS AIMEZ LIRE...
PLONGER DANS L'UNIVERS D'UN LIVRE ...
ME PERMET D'OUBLIER QUI JE SUIS...

BIEN DES ROMANS M'ONT ÉTÉ D'UN GRAND SECOURS DANS LES MOMENTS DIFFICILES ...
...

JE CROIS QUE TOI, TU AIMES SEN TAKATSUKI ?
JE TIENS CELA DES CLIENTS DE "L'ANTIQUE" ...
OUI, EN EFFET...
SON STYLE TOUT EN FINESSE CACHE UNE VRAIE FORCE...
L'AMBIANCE INSAISISSABLE DE SES ROMANS ME CAPTIVE...

JE LES AIME BEAUCOUP, MOI AUSSI ...
TON AUTEUR PRÉFÉRÉ EST DONC TAKATSUKI ...
J'AIMERAIS TE PRÉSENTER UN ENDROIT QUE J'AIME PARTICULIÈREMENT...

IL S'AGIT D'UN CAFÉ DONT LE PROPRIÉTAIRE EST AMATEUR DE LECTURE...
LE PARFUM QUI RÈGNE LÀ-BAS, UN MÉLANGE DE VIEUX LIVRES ET DE CAFÉ, EST MERVEILLEUX ...
CETTE AMBIANCE A LE DON DE ME SOULAGER...

SELON LA RUMEUR, TAKATSUKI LUI-MÊME VIENDRAIT DANS CE CAFÉ...
PARDON ?!
SEN TAKATSUKI ?!
ON PEUT Y ALLER ENSEMBLE, SI TU VEUX...
ON SE PRÉSENTERA NOS LIVRES PRÉFÉRÉS...
CET ENDROIT TE PLAIRA, C'EST CERTAIN.
EH BIEN...
SA PROPOSITION M'INTÉRESSE, MAIS...

J'AI L'IMPRESSION QU'IL MANIGANCE QUELQUE CHOSE.
JE NE VOIS RIEN DE MAUVAIS CHEZ LUI, MAIS QUELQUE CHOSE M'EMPÊCHE DE LUI FAIRE CONFIANCE...

TOKA T'A PARLÉ DE MOI, J'IMAGINE ?
EH BIEN... EUH...
TU SAIS, JE CONNAIS DÉJÀ LA RÉPONSE...
J'AI TOUJOURS ÉTÉ UN INCOMPRIS, CE N'EST PAS NOUVEAU...

LES GENS M'ÉVITENT, SANS DOUTE PARCE QUE JE PARAIS SNOB...
ET QUAND J'ESSAIE DE FRATERNISER, ON ME REPROCHE ALORS D'ÊTRE TROP FAMILIER.
ON NE ME LAISSE MÊME PAS PARTICIPER AU CONSEIL DES GOULES DU 20E...

JE N'AI PLUS PERSONNE À QUI PARLER ...
DEPUIS LA DISPARITION DE LIZE...
!
LIZE ?!
JE RETROUVE UN PEU SON ATTITUDE, CHEZ TOI...
LES AMATEURS DE LECTURE SONT RARES, CHEZ LES GOULES.
COMME TU LE SAIS, LA PLUPART D'ENTRE ELLES SONT DES BRUTES.

JE VOULAIS SIMPLEMENT TROUVER UN AMI AVEC QUI...
J'AURAIS PU PARTAGER MES CENTRES D'INTÉRÊT, DANS UN ENDROIT PAISIBLE...

PARDONNE-MOI DE T'AVOIR DÉRANGÉ...
JE TE LAISSE, AU REVOIR.
OH...

...

DITES... JE...

JE...

JE SERAI RAVI DE DISCUTER LECTURE AVEC VOUS...

MERCI BEAUCOUP, KEN !
JE SAVAIS QUE TOI, TU ME COMPREN-DRAIS.
ALORS ON SE DONNE RENDEZ-VOUS DANS TROIS JOURS, DIMANCHE DEVANT LA GARE !
OH ?
D'AC... D'ACCORD ...

URANT
J'AI L'IMPRESSION DE M'ÊTRE FAIT ROULER...
CLOSE
JE ME DEMANDE SI SHU ET LIZE ÉTAIENT VRAIMENT AMIS...
PFF...
"L'ANTIQUE EST FERMÉ, AUJOUR-D'HUI..."
J'ÉTAIS DANS LA LUNE...
CLOSE

HÉ !

OH !
YOMO, C'EST RARE DE VOUS VOIR ICI...
ET TOI, QUE FAIS-TU LÀ ?

J'AVAIS OUBLIÉ QUE LE CAFÉ ÉTAIT FERMÉ, AUJOURD'HUI ...
VOUS VENIEZ À "L'ANTIQUE"...
NON, JE PASSAIS JUSTE...

OH... SANS VOULOIR PROFITER DE L'OCCASION ...
VOUS POURRIEZ ME CONSEILLER POUR MES COUPS DE PIED ?
JE ME SUIS UN PEU ENTRAÎNÉ...

J'AI À FAIRE...
UNE PROCHAINE FOIS, PEUT-ÊTRE...
OH... OUI, PARDON...

...

TU M'ACCOMPAGNES ?
PARDON ?!
VOUS RETOURNEZ EN MONTAGNE ?!
VOUS SAVEZ, JE...
NON.

JE VAIS VOIR QUELQU'UN...
ELLE TIENT PLUS QUE TOUT À TE RENCONTRER.

"ELLE" ?
...
SI ÇA TE PREND LA TÊTE...
TU PEUX REFUSER.
?

EH BIEN...
COMMENT EST CETTE PERSONNE DONT VOUS PARLEZ ?

COMMENT ?

...
...
EH BIEN ...
...
JE LA VERRAI AVEC JOIE...
JE NE PEUX REFUSER VOTRE INVITATION.
COMME TU VEUX...

14e arrondissement

C'EST À L'ÉTAGE.
IL EST BIZARRE, CE COMMERCE...

NOUS SOMMES... DANS UN BAR ?
LES MINEURS COMME MOI NE PEUVENT PAS...
CLOSED

BONJOUR ...

TIENS ?
MAIS C'EST FERMÉ !
CLOSED

ELLE DOIT ÊTRE À L'INTÉRIEUR ...
OH...
JE VOIS...

WISH
?!

TADAAAM !!
AAAAAAAAAAAAAAAHHHH

HYA HA HA HA !
CE MASQUE EST GÉNIAL ! MERCI UTA !!
QUI EST CE GARÇON, AU FAIT ?
... ...
C'EST UN PROTOTYPE QUE J'AI FABRIQUÉ AUTREFOIS ...
MAIS IL N'EST PAS MAL DU TOUT...
ARRÊTE, ITORI...
JE PLAISANTAIS, RENJI ...
ÇA FAIT LONGTEMPS, KEN...
TON MASQUE TIENT LE COUP ?
BODOM BODOM
OUI...
IL EST PARFAIT ...
KEN ?
GWISH
VOICI DONC LE FAMEUX JEUNE HOMME !
LE CACHE-ŒIL DE "L'ANTIQUE" !

#034 Toboggan

Helter Skelter
BAR
Helter Skelter
ALLEZ...
FAIS COMME CHEZ TOI, KENKICHI ! C'EST MON BAR, ICI...
JE N'ÉTAIS JAMAIS VENU DANS UN TEL ENDROIT...
ET JE M'APPELLE KEN, À PROPOS...

JE SUIS RAVIE DE FAIRE ENFIN TA CONNAISSANCE, TU SAIS ?

RENJI ET UTA M'ONT BEAUCOUP PARLÉ DE TOI...
ET DE MASQUES ...
J'ÉTAIS JALOUSE D'EUX...

AU FAIT RENJI, TU AURAIS PU AMÉLIORER TON STYLE... TA BARBE, PAR EXEMPLE ...
ET CES VÊTEMENTS, ÇA NE FAIT PAS 10 ANS QUE TU LES PORTES ?
FOUS-MOI LA PAIX...

QUEL HOMME PÉNIBLE ...
IL DOIT TE CAUSER BIEN DES SOUCIS, KEN !
N... NON, PAS DU TOUT...

C'EST PLUTÔT MOI QUI CAUSE DU SOUCI À YOMO ET AUX AUTRES ...
VU QU'ILS NE CESSENT DE M'AIDER ...

QUEL BON GARÇON !
QUELLE CANDEUR !!
OUAH !!

IL A CE CŒUR PUR QU'ON A TOUS PERDU !
EXCUSEZ-MOI, MAIS...

JE SUIS TOUJOURS PUR, MOI ...

TOUS... TOUS LES TROIS...
VOUS VOUS CONNAISSEZ DEPUIS LONGTEMPS ?

OUI... ON EST COPAINS COMME COCHONS DEPUIS L'ARRIVÉE DE RENJI DANS LE 4e...
LE 4e ?
POURTANT, SELON UTA...
"LES ARRONDISSEMENTS 1 À 4 SONT INVIVABLES..."
RENJI ET UTA S'ENTENDAIENT COMME CHIEN ET CHAT, AUTREFOIS...
VRAIMENT ?

LEUR CONFLIT A TRANSFORMÉ LE 4e EN ENDROIT ENCORE PLUS HORRIBLE QU'AUJOURD'HUI...
LES AUTRES GOULES N'EN POUVAIENT PLUS...
C'EST ÇA, QUAND ON N'A PAS ENCORE 20 ANS...
JE M'EN TAPE DES AUTRES GOULES...

POURTANT ON S'ENTEND BIEN, MAINTENANT...
HEIN ?
SI TU LE DIS...
TOKA RESSEMBLE COMME DEUX GOUTTES D'EAU AU RENJI D'AUTREFOIS...
TU AS RAISON !
SURTOUT AU NIVEAU DU CARACTÈRE FONCEUR !

ÇA SUFFIT, VOUS AVEZ...
ASSEZ PARLÉ DE MOI...
LES DEUX CRÉTINS...
OH !
IL S'ÉNERVE !
OUI, IL EST EN COLÈRE !

TU VOULAIS PARLER À KEN, JE CROIS ?
C'EST VRAI, J'OUBLIAIS !
CLING

TIENS !

EUH...
C'EST QUOI ?
C'EST SANS ALCOOL, DÉTENDS-TOI...

CE N'EST PAS DU VIN...
C'EST PLUS ÉPAIS ...

C'EST DU SANG ?

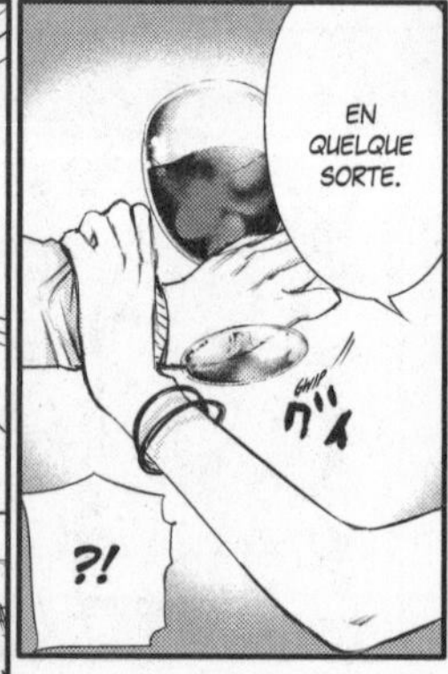
EN QUELQUE SORTE.
?!

BLUG

MAIS ENFIN... QUE FAITES-VOUS ?!
QUELLE BRUTALITÉ, ITORI...
OUAAH ! C'EST LA PREMIÈRE FOIS QUE J'EN VOIS UNE !!

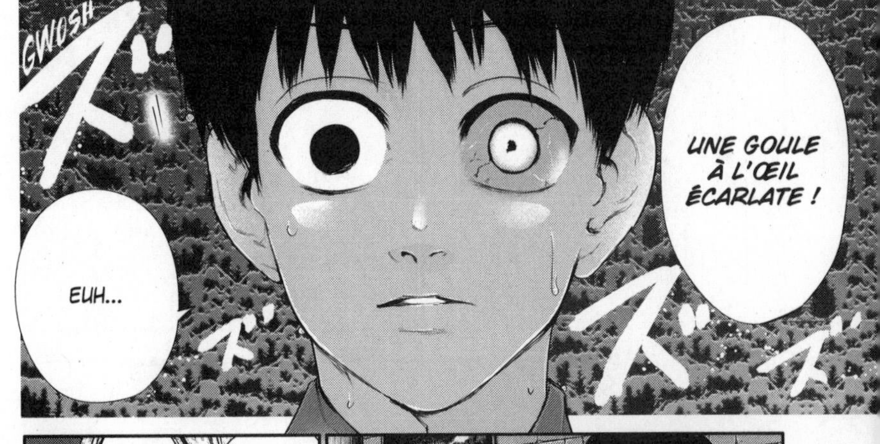
GWOSH
UNE GOULE À L'ŒIL ÉCARLATE !
EUH...

WIP

INUTILE DE TE CACHER, NOUS SOMMES ENTRE NOUS...
EH BIEN...

JE ME DEMANDE SI L'AUTRE GOULE À L'ŒIL ÉCARLATE RESSEMBLE À KEN...
HEIN, RENJI ?
J'EN SAIS RIEN...
L'AUTRE GOULE ?
MERCI POUR LA SERVIETTE ...
DÉSOLÉE D'AVOIR ÉTÉ BRUSQUE ...

D'AUTRES GOULES ONT, COMME MOI, UN SEUL ŒIL ROUGE ?
TIENS ?
ÇA T'INTÉRESSE ?
À TON AVIS...
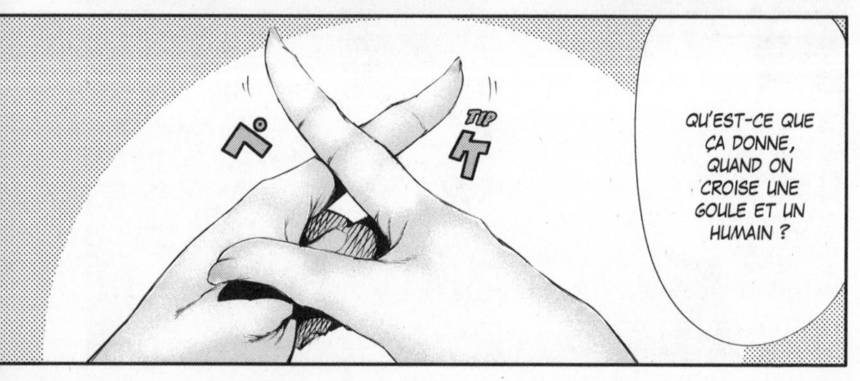
QU'EST-CE QUE ÇA DONNE, QUAND ON CROISE UNE GOULE ET UN HUMAIN ?
TIP

UNE GOULE...
ET UN HUMAIN ?
OUI, QU'EN PENSES-TU ?
EST-CE QUE, PAR HASARD...
ILS DONNENT NAISSANCE À UN MÉTIS ?

CES HYBRIDES NE SONT PAS VIABLES.
PARDON ?
À LA BASE, LA SIMPLE PROBABILITÉ DE TOMBER ENCEINTE EST TRÈS FAIBLE...

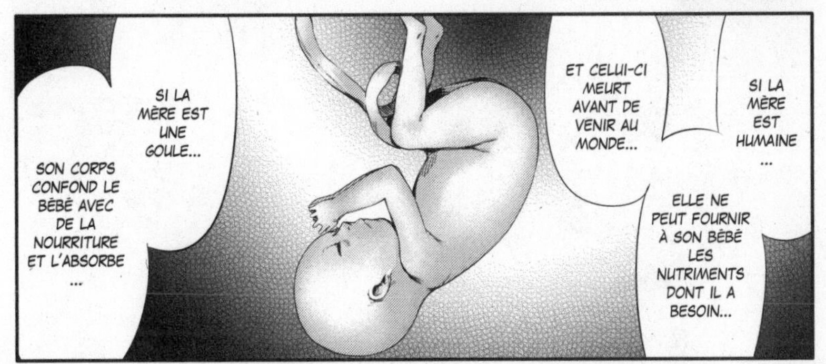
SI LA MÈRE EST HUMAINE ...
ELLE NE PEUT FOURNIR À SON BÉBÉ LES NUTRIMENTS DONT IL A BESOIN...
ET CELUI-CI MEURT AVANT DE VENIR AU MONDE...
SI LA MÈRE EST UNE GOULE...
SON CORPS CONFOND LE BÉBÉ AVEC DE LA NOURRITURE ET L'ABSORBE ...

MAIS ON DIT QUE PARFOIS...
IL ARRIVE QU'UN MÉTIS VIENNE AU MONDE...
UN MÉTIS D'HUMAIN ET DE GOULE...

TU CONNAIS LE PRINCIPE DE L'HÉTÉROSIS ?
CE MOT ME DIT QUELQUE CHOSE, OUI...

PRENONS UN EXEMPLE... IMAGINE QU'ON CROISE DEUX ANIMAUX SEMBLABLES, COMME UN LION ET UN TIGRE...
ILS VONT DONNER NAISSANCE À UN HYBRIDE QUI HÉRITERA SURTOUT DES QUALITÉS DE SES PARENTS...

DE LA MÊME MANIÈRE, UNE GOULE MÉTISSE EST BIEN PLUS FORTE QU'UNE GOULE PURE...
GWIP
UN MÉTIS SE RECONNAÎT FACILEMENT, À...
SON UNIQUE ŒIL ÉCARLATE...

ENFIN... J'IGNORE SI TOUTE CETTE HISTOIRE EST VRAIE OU TIENT SEULEMENT DE LA LÉGENDE URBAINE...
MAIS IL EST TRÈS PROBABLE QU'UNE GOULE À L'UNIQUE ŒIL ÉCARLATE EXISTE, QUELQUE PART...
...

ET OÙ SE TROUVERAIT-ELLE, CETTE GOULE ?
ALORS ÇA...
ON EN PARLE BEAUCOUP, MAIS JE NE L'AI JAMAIS VUE DE MES YEUX...

LES RUMEURS LA CONCERNANT SONT ASSEZ DÉLIRANTES ...
C'EST TANTÔT UN HOMME, TANTÔT UNE FEMME ...
OU ALORS UN VIEIL HOMME...
OU UN PETIT GARÇON...
SELON UN TYPE DE MON QUARTIER.

SURTOUT, KEN... NE CHERCHE PAS À RENCONTRER CETTE GOULE...
CAR LES HISTOIRES CONCERNANT "ŒIL ÉCARLATE" NE SONT JAMAIS GAIES...

ON LA DIT CANNIBALE, PAR EXEMPLE...
CANNI-BALE ?
BEURK... QUEL HORREUR ...
CE QUI EST INQUIÉTANT, C'EST QUE DEVANT LES AUTRES GOULES...
TU RISQUES DE PASSER POUR CET "ŒIL ÉCARLATE"...
QUOI ? MAIS... JE NE VEUX PAS, MOI !

VOUS SAVEZ, QUAND NISHIKI M'A ATTAQUÉ...
IL N'A RIEN REMARQUÉ, POUR MON ŒIL...
NISHIKI...
AH OUI, LE BÛCHEUR...
IL EST INTELLIGENT ...
ÊTRE EN FAC DE PHARMACIE À KAMII N'EST PAS DONNÉ À TOUT LE MONDE...

CETTE HISTOIRE EST VIEILLE, ALORS...
NISHIKI NE DOIT PAS ÊTRE AU COURANT, IL EST TROP JEUNE...
AH ?
CETTE GOULE À L'ŒIL ÉCARLATE M'INTÉRESSE...
DE QUOI PARLE-T-ON SOUVENT, EN CE MOMENT ?

MAIS DE TOI ET UNIQUEMENT DE TOI, MON PETIT !!
PAM
KEN KANEKI, TOMBÉ DU CIEL ...
AVEC SON ŒIL ROUGE !
PAM

SURTOUT QUE TU ES MÊLÉ À LA MORT MYSTÉRIEUSE D'UNE GOULE À PROBLÈME, LIZE KAMISHIRO.
SUSPENSE...
LES DISCUSSIONS VONT BON TRAIN À CE SUJET, ENTRE GOULES QUI AIMENT SE TENIR À LA PAGE !
UNE MORT MYSTÉRIEUSE ? MAIS C'ÉTAIT UN ACCIDENT...

TINK

M. YOSHIMURA NE M'A PAS DIT CELA...
TSS... CE N'EST PAS GENTIL DE SA PART...

TIENS DONC...

ET VOUS, VOUS PENSEZ VRAIMENT QU'IL S'AGISSAIT D'UN SIMPLE ACCIDENT...
M. KEN KANEKI ?

DANS CE CAS, LA SÉCURITÉ SUR CE CHANTIER, C'ÉTAIT...
DU GRAND N'IMPORTE QUOI !
ON NE STOCKE PAS DE CHARPENTES MÉTALLIQUES EN HAUTEUR !
OÙ VOULEZ-VOUS EN VENIR ?
ÇA SUFFIT, ITORI ...

CERTAINS TÉMOINS DISENT AVOIR VU, CE SOIR-LÀ...
UNE SILHOUETTE HUMAINE EN HAUT DE L'IMMEUBLE EN CONSTRUCTION ...

JUSTE AVANT L'ACCIDENT, DONC...

VOUS VOULEZ DIRE QUE CET ACCIDENT N'ÉTAIT PAS DÛ AU HASARD ?
VOIRE...
QUE LIZE A ÉTÉ ASSASSINÉE ?

...
LE PATRON ÉTAIT AU COURANT ?

...
M. YOSHIMURA NE T'A RIEN DIT...
POUR ÉVITER DE TE BOULEVERSER ...

ALORS... J'AI ÉTÉ L'UN DES ROUAGES DU MEURTRE DE LIZE ?
ET LE FAIT QUE JE SOIS DEVENU UNE GOULE, EST-CE UN HASARD ?
...
C'EST QUOI, CETTE HISTOIRE ?
QUI OSERAIT FAIRE UNE TELLE CHOSE ?

CE N'EST PAS DIFFICILE À SAVOIR...
!
QUI EST-CE, ALORS ?
QUI A FAIT UNE CHOSE PAREILLE ?

JE NE PEUX PAS T'EN DIRE PLUS...
TOUTES SORTES DE RUMEURS CIRCULENT, CHEZ LES HUMAINS COMME CHEZ LES GOULES...
TU N'AS PAS L'AIR DE COMPRENDRE QUE LES INFORMATIONS ONT UN PRIX, SOUVENT TRÈS ÉLEVÉ...

JE NE PEUX PAS TE DONNER CETTE INFO GRATUITEMENT ...
GLOUP
トポポ・・
DANS CE CAS, QUE DOIS-JE FAIRE POUR L'OBTENIR ?
QUE FERAS-TU ENSUITE ? TU TE VENGERAS ?
CE N'EST PAS MON INTENTION ...
MAIS...

C'EST NORMAL QUE TU VEUILLES SAVOIR...
CAR IL S'AGIT DE TOI...
UN ÉCHANGE, ÇA TE VA ?
D'INFOS ?
IL Y A CERTAINES CHOSES QUE JE BRÛLE DE CONNAÎTRE ...
LE GOURMET T'A APPROCHÉ, N'EST-CE PAS ?
JE VEUX DES INFOS SUR LE "RESTAURANT DES GOULES"...
ENQUÊTE SUR CE SUJET AUPRÈS DU GOURMET...

"CET ACCIDENT AURAIT ÉTÉ PROVOQUÉ ?"
#035 Lutte solitaire

"JE SAURAI CE QUE JE VEUX EN ÉCHANGE D'INFORMATIONS...
SUR LE "RESTAURANT DES GOULES" ?"

OUI ! IL S'AGIRAIT D'UN RESTAURANT PRIVÉ, OU D'UNE SORTE DE SALON SECRET...
UN DE MES CLIENTS TIENT ABSOLUMENT À S'Y RENDRE.
VU SON SURNOM, LE GOURMET DOIT CERTAINEMENT AVOIR SES ENTRÉES...
JE SAIS DE SOURCE SÛRE QUE CE RESTAURANT EST EN VILLE ...
PAR CONTRE, LA SÉLECTION EST SÉVÈRE...

TU ES LE MIEUX PLACÉ POUR OBTENIR CE RENSEIGNEMENT ...
CAR TU INTÉRESSES LE GOURMET, N'EST-CE PAS ?
MON CLIENT ME REMERCIERA, UNE FOIS QU'IL AURA CETTE INFO...
ET TOI, TU SAURAS CE QUE TU VEUX.
AINSI, TOUT LE MONDE SERA CONTENT.

"JE COMPTE SUR TOI, KEN...
JE... OUI..."

J'ESSAIERAI D'EN SAVOIR PLUS, À MA PROCHAINE RENCONTRE AVEC SHU...
JE ME DEMANDE S'IL ACCEPTERA DE M'EN PARLER...
HMM...
APRÈS TOUT, CET ÉTABLISSEMENT N'EST PAS SECRET POUR RIEN...

ZUT... OÙ SUIS-JE ?
TIENS ?

J'AI FLÂNÉ JUSQU'ICI SANS FAIRE ATTENTION ...
MAIS ...
SALES PATTES... NOT' QUARTIER ...

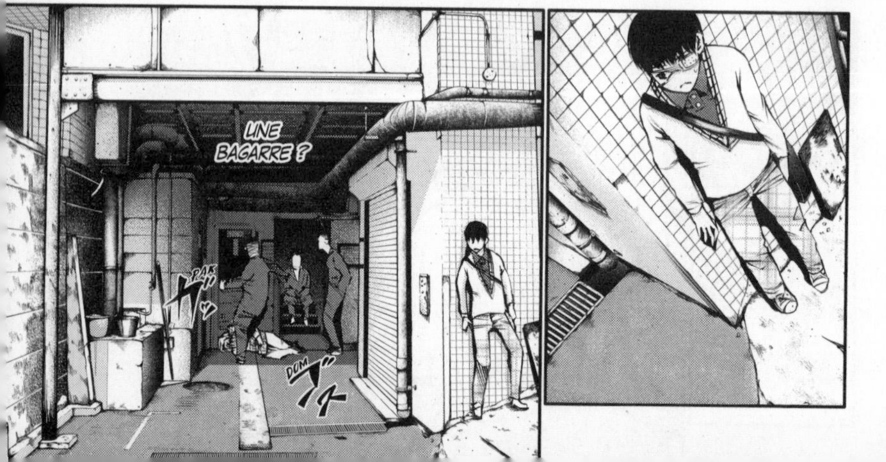
UNE BAGARRE ?
PAK
DOM

ÇA VA LOIN, LÀ...
HEIN ?!
HA HA !
QUE FAIRE... APPELER LA POLICE ?
?
OUGH...
DWOM
SON VISAGE ME DIT QUELQUE CHOSE...
!
C'EST... NISHIKI ?!

...
QUE FAIT-IL DANS CE PÉTRIN ?!
BONK
PAM
BIM

...

NISHIKI A TENTÉ DE NOUS ATTAQUER, HIDE ET MOI...
TIENS !!
STAM
OUGH ...

JE N'AI AUCUNE RAISON DE L'AIDER...
ON COMMENCE PAR CE BRAS ?
YOUPI !
CRIP
CRR
ALLEZ !!
GHH ...
RAAAAAH

EUH...
EXCUSEZ-MOI...
VOUS N'ALLEZ PAS UN PEU TROP LOIN ?
J'AI L'IMPRESSION...
駐輪所

KEN...
KEN KANEKI...
QUOI ?

T'ES POTE AVEC CETTE MERDE DE NISHIKI ?
NON... JE NE SUIS PAS SON AMI, MAIS...
OUAIS ! JE ME DISAIS AUSSI !
屋内保管の為記載しない
...
UN TYPE QUI SE LA JOUE CAVALIER SEUL NE PEUT PAS AVOIR DE POTES, HEIN ?!

ALORS, TU VEUX QUOI ?!
TU SAIS OÙ T'ES, AU MOINS ?!
JUSTEMENT, JE ME SUIS ÉGARÉ...
C'EST UNE GOULE, CE TYPE ?!
T'ES DE QUEL ARRONDISSEMENT ?!
JE... JE SUIS DU 20E...
ZUT, J'AURAIS PEUT-ÊTRE MIEUX FAIT DE ME TAIRE ...

LE 20E ?
HA HA HA !
LA BONNE BLAGUE.

HÉ, GAMIN !
ON VA T'APPRENDRE UN TRUC !
CHEZ NOUS, C'EST À LA MODE...
SUR NOS OCCUPATIONS...
?

SHRIIK
シャッターに物を
立てかけないで下さい。
一人一人の心がけ
!
DE BOUFFER D'AUTRES GOULES !!

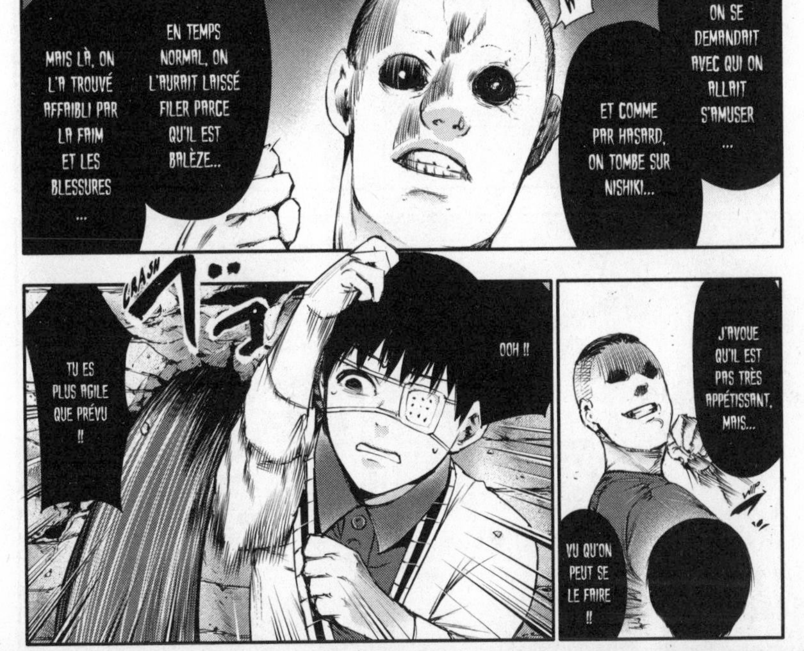
WIK
ON SE DEMANDAIT AVEC QUI ON ALLAIT S'AMUSER ...
ET COMME PAR HASARD, ON TOMBE SUR NISHIKI...
EN TEMPS NORMAL, ON L'AURAIT LAISSÉ FILER PARCE QU'IL EST BALÈZE...
MAIS LÀ, ON L'A TROUVÉ AFFAIBLI PAR LA FAIM ET LES BLESSURES ...
J'AVOUE QU'IL EST PAS TRÈS APPÉTISSANT, MAIS...
VU QU'ON PEUT SE LE FAIRE !!
CRASH
OOH !!
TU ES PLUS AGILE QUE PRÉVU !!

IL SE CONTENTE D'ESQUIVER ?
IL EST CHIANT, CE TYPE ...
ÉCLATE-LE EN VITESSE !
HÊ HÊ !

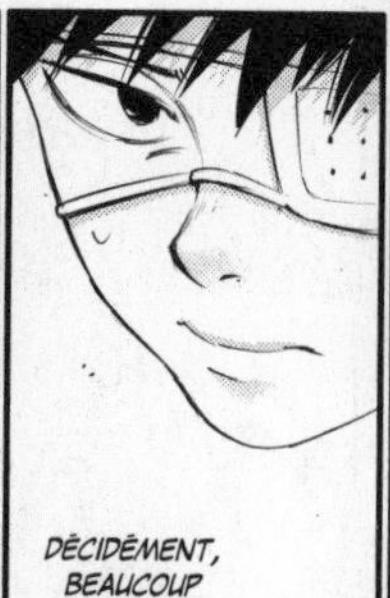
DÉCIDÉMENT, BEAUCOUP DE GOULES CHERCHENT LA BAGARRE..

NISHIKI FAIT TOUT POUR SE RENDRE HAÏSSABLE, C'EST VRAI...
WIP

!
MAIS LÀ, ILS ABUSENT !

WISH
WISH

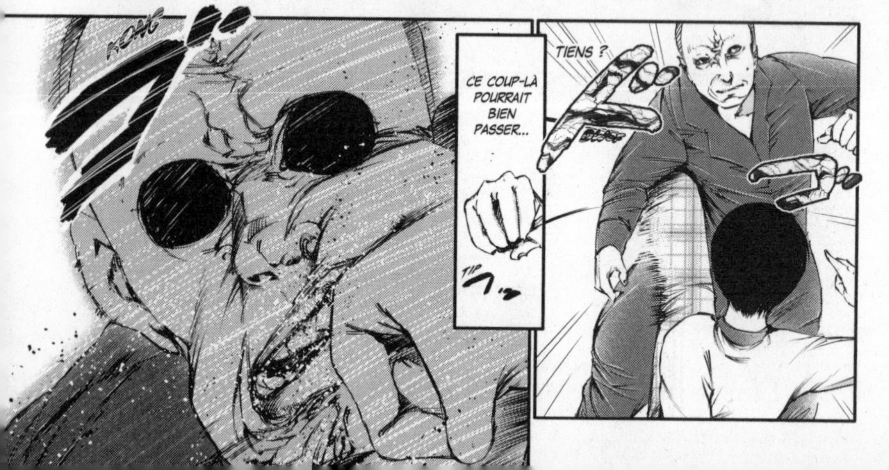
TIENS ?
CE COUP-LÀ POURRAIT BIEN PASSER...
TIP
KONG

GUEUH...
BROF
DOM
JE L'AI SONNÉ...

OH... MAIS OUI...
JE ME RAPPELLE ...
CE N'EST PAS LUI, LE TYPE AU CACHE-OEIL QUI A BUTÉ UNE DES COLOMBES DU 20E ?
QUOI ?!

C'EST MAINTE-NANT QUE TU LE DIS ?!
ET NISHIKI ?!
ON LAISSE TOMBER !!
JE N'AI PAS TUÉ CET INSPEC-TEUR !

JE VAIS... TE BUTER...

TU TE PRENDS... POUR UN JUSTI-CIER ?
TON ATTITUDE... ME SAOULE ...

ON EST BIEN CHEZ TOI ?
UNE FOIS GUÉRI, JE... TE FERAI LA PEAU ...

D'ACCORD... ON EN REPARLERA QUAND TU POURRAS MARCHER SEUL...
IL NE SAIT PAS DIRE MERCI, CELUI-LÀ...

TU POURRAIS DEMANDER DE L'AIDE À M. YOSHIMURA, TU SAIS...
JE N'AI PAS BESOIN... DE CE VIEUX RENARD...

EH BIEN, QU'IL SE DÉBROUILLE... MOI, J'Y VAIS !

DZZZZZZ

WAAAH !!
OUAH ?!
WIP

MAIS... C'EST TOI ?!
TU N'ES PAS CET ESPÈCE DE NARCISSE ?!

NARCISSE ?
NON... JE SUIS JUSTE ...

!
KIMI...

ARRÊTE... IL N'Y EST POUR RIEN...
NISHIKI ...

REGARDE DANS QUEL ÉTAT TU ES... TU T'ENFUIS ALORS QUE TU ES BLESSÉ, C'EST MALIN !!
TA PLAIE AU VENTRE RISQUE DE SE ROUVRIR !

LA FAIM EST À DEUX DOIGTS... DE ME RENDRE FOU...

TU VEUX BIEN ÉVITER DE SORTIR JUSQU'À TA GUÉRISON ?
J'AI PEUR DE CE QUI POURRAIT T'ARRIVER DEHORS, NISHIKI...

J'AI VU CE TYPE, À LA FAC...
CELUI QUE TU TRAITAIS DE NARCISSE, NISHIKI...
J'AI EU L'IMPRESSION QU'IL TE CHERCHAIT...
ALORS JE ME SUIS INQUIÉTÉE...

CETTE RACLURE DE TSUKIYAMA... ÉTAIT À KAMII ?
ÉVITE-LE À TOUT PRIX... C'EST LA FIN POUR TOI, SI TU ENTRES DANS SON COLLIMATEUR.

KIMI SAIT QUE NISHIKI EST UNE GOULE, ET POURTANT ELLE RESTE ?

DEPUIS LA MORT DE LIZE...
NOTRE MONDE SE DÉGRADE À VUE D'ŒIL...
LES GOULES ONT UNE CONDUITE DE PLUS EN PLUS DÉLIRANTE...

LES COLOMBES SE FONT ASSASSINER JUSQUE DANS LE 20e...

JE N'ARRIVE PLUS À CHASSER, AVEC CES INSPECTEURS QUI SE FONT TUER...
MERDE...

LA SITUATION S'EST DÉGRADÉE APRÈS LA MORT DE LIZE ?

"CERTAINS TÉMOINS ONT VU UNE SILHOUETTE HUMAINE, CE SOIR-LÀ...
TU CROIS VRAIMENT À LA THÈSE DE L'ACCIDENT ?"

LE RESTAURANT DES GOULES...
SHU TSUKIYAMA...

...

...

KEN...
OUI ?

TU ES UNE GOULE, N'EST-CE PAS ?
?!
MAIS...

NON, JE... JE SUIS...
!
NISHIKI M'EN A PARLÉ...

JE... JE RÊVE ?!
QUELLE POISSE...

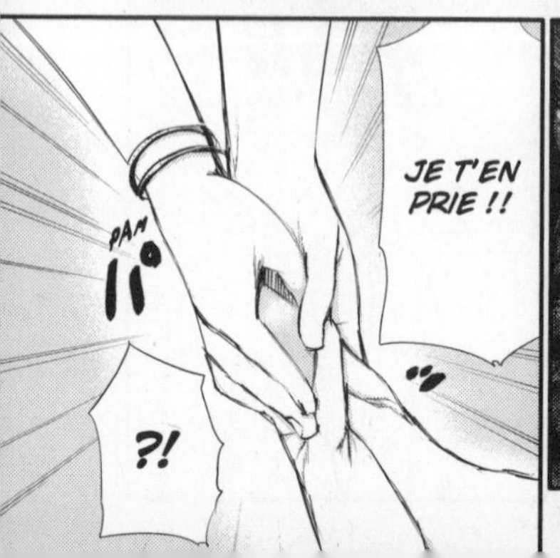
JE T'EN PRIE !!
PAM
?!

LA SEULE CERTITUDE, C'EST QUE NISHIKI A CONFIANCE EN ELLE POUR...

VIVRE AINSI EN SA COMPAGNIE ALORS QU'ELLE SAIT TOUT...

POURQUOI FRÉQUENTES-TU UNE GOULE ?
ÇA NE T'EFFRAIE PAS ?
J'AI ÉTÉ TRÈS SURPRISE EN L'APPRENANT, C'EST VRAI...
J'AI BEAUCOUP RÉFLÉCHI À CE QUE JE DEVAIS FAIRE...
MAIS AU FINAL... C'EST MON ENVIE D'ÊTRE AVEC LUI QUI L'A EMPORTÉ ...

MÊME SI NISHIKI TUE DES HUMAINS ?

...

JE PEUX FERMER LES YEUX SUR CETTE PARTIE DE LUI...
TANT QU'IL NE TUE PAS MA FAMILLE OU MES AMIES...
CAR IL A BESOIN DE CADAVRES...

JE SAIS TRÈS BIEN QUE S'EN PROCURER EST LOIN D'ÊTRE FACILE, AU POINT QUE...
JE NE REGRETTE-RAIS MÊME PAS QU'IL ME DÉVORE ...

SI J'ÉTAIS NÉE GOULE, JE PENSE QUE...
J'AURAIS TUÉ POUR LUI...
MOI...

SI J'AI LE DROIT À UNE VIE CORRECTE, C'EST UNIQUEMENT...
PARCE QUE J'AI EU LA CHANCE DE NAÎTRE HUMAINE...

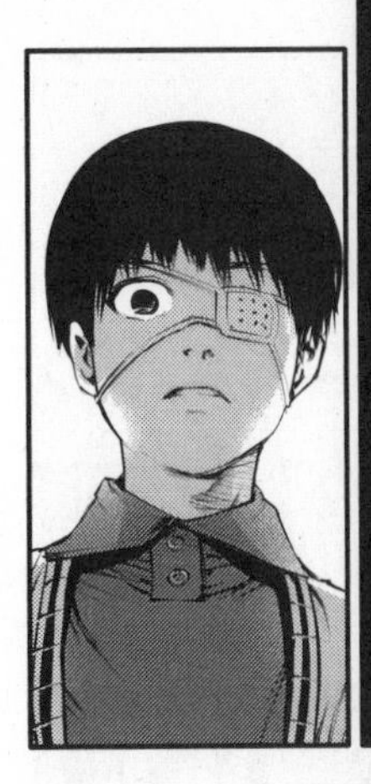

PEUT-ÊTRE EST-CE L'AMOUR QUI REND AVEUGLE, OU...
PEUT-ÊTRE EST-CE LÀ UNE FORME DE COHABITATION ENTRE HUMAINS ET GOULES...
EN TOUT CAS, C'EST NOUVEAU POUR MOI DE VOIR UNE TELLE OPINION CHEZ UN HUMAIN...
こだわりの旨さ
コクを高めた大人の珈琲
¥120
あったか～い
ピ
TIP
CLANG
SANS LES GENS DE "L'ANTIQUE", JE SERAIS DEVENU UN MEURTRIER OU JE SERAIS MORT DE FAIM...

LES GOULES SONT VOUÉES À VIVRE AVEC DES CONTRAINTES, MAIS...
AVOIR QUELQU'UN QUI VOUS TEND LA MAIN EN TOUTE CONNAISSANCE DE CAUSE...
CELA RESTE UNE CHANCE INCROYABLE...
PAS MAL, CE CAFÉ...

#036

Puis vint le jour de mon rendez-vous avec Shu...
ALLEZ !
TONK
カコーン
OH !

OUH !
Étonnamment, je me suis retrouvé à jouer au squash avec lui...

BROF
ドテッ

HA HA !
TU N'ES PAS DOUÉ POUR LE SPORT !

J'AI HONTE, MAIS... EN EFFET...

#036
Habillage

JE N'AVAIS ENCORE JAMAIS VU DE GOULE AUSSI PEU APTE À L'EXERCICE PHYSIQUE...

JE N'AI JAMAIS ÉTÉ DOUÉ DANS CE DOMAINE, VOUS SAVEZ ...
D'AILLEURS, POURQUOI CETTE SÉANCE DE SQUASH ?

EH BIEN, FAIRE UN PEU DE SPORT A TOUJOURS ÉTÉ UNE BONNE MÉTHODE POUR ATTENDRIR LES MUSCLES...

C'EST AUSSI L'INGRÉDIENT SECRET...
POUR PASSER UN APRÈS-MIDI AGRÉABLE ...

LE MIEUX N'EST-IL PAS DE JOUIR DE LA VIE, KEN ?

VOUS AVEZ RAISON...

DEUX CAFÉS GLACÉS, S'IL VOUS PLAÎT...
UNE BOISSON FROIDE POUR SE RAFRAÎCHIR, PUIS ON PASSERA AU VRAI CAFÉ !
CAR POUR L'INSTANT, J'AI TROP CHAUD !
PAM
PAM
AVEC PLAISIR ...

ET VOICI !
MERCI !

...
ALORS, CET ENDROIT N'EST-IL PAS PARFAIT POUR LA LECTURE ?
OUI, EN EFFET !
WOUP
WOUP
L'AMBIANCE EST TRÈS SYMPATHIQUE ...

ON DIRAIT BIEN QUE M. TAKATSUKI NE VIENDRA PAS AUJOURD'HUI ...
OUI, C'EST DOMMAGE...

PARDON KEN, MAIS...
SI TU VOULAIS VRAIMENT RENCONTRER M. TAKATSUKI ...

TU AURAIS DÛ CHOISIR DES VÊTEMENTS PLUS CHICS...
AH, EUH...
JE M'HABILLE COMME ÇA TOUS LES JOURS... ILS NE RESSEMBLENT À RIEN, CERTES... HA HA...
MENU

JE N'AI PAS DIT CELA...
REGAR-DE...

TU ES UN GARÇON PLUTÔT PETIT...
METTRE L'ACCENT SUR LE HAUT DU CORPS TE DONNERA UNE MEILLEURE APPARENCE...
POUR CELA, TU CHOISIS UN PANTALON SIMPLE ...
ET TU T'AMUSES À METTRE UN HAUT DE COULEUR, AVEC DES MOTIFS, ET DES ACCES-SOIRES...

TU SAIS, J'AIME BIEN ASSORTIR LES CHOSES, ET PAS UNIQUEMENT LES VÊTEMENTS ...
CELA PERMET DE SUBLIMER N'IMPORTE QUELLE MATIÈRE PREMIÈRE ...

JE SUIS UN PEU TROP FRANC, MAIS LES GENS DE "L'ANTIQUE" SONT TOUS MOCHES ...
DÉSOLÉ DE LE DIRE...
ILS NE FONT PAS ATTENTION À CE QU'ILS PORTENT...

CE N'EST PAS BIEN, SELON MOI...
NOUS AUTRES GOULES DEVONS TOUJOURS AVOIR LA CLASSE...

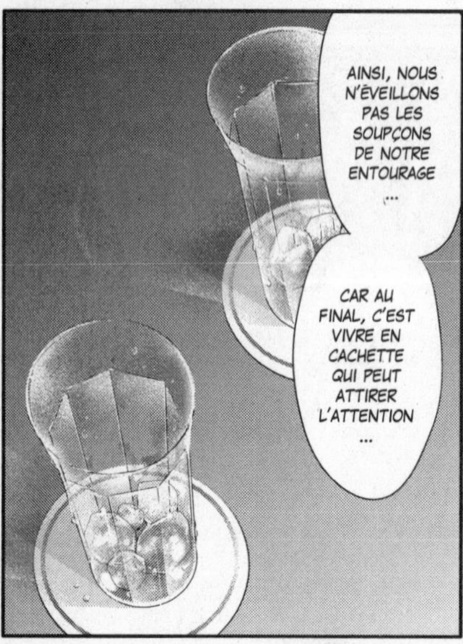
AINSI, NOUS N'ÉVEILLONS PAS LES SOUPÇONS DE NOTRE ENTOURAGE ...
CAR AU FINAL, C'EST VIVRE EN CACHETTE QUI PEUT ATTIRER L'ATTENTION ...

C'EST POUR CELA QUE VOUS AVEZ TOUJOURS CETTE APPARENCE DIGNE ET IMPOSANTE ...

CELA EXPLIQUE AUSSI POURQUOI MES SEMBLA-BLES ME DÉTES-TENT !
AH, DEUX CAFÉS S'IL VOUS PLAÎT !

AU FAIT, KEN ! JE T'AI APPORTÉ MON LIVRE PRÉFÉRÉ...
EST-CE QUE TU CONNAIS...
UN GOURMET FRANÇAIS DU NOM DE JEAN ANTHELME BRILLAT-SAVARIN ?

L'AUTEUR DE LA PHYSIOLOGIE DU GOÛT ?

OUI, IMPRES-SIONNANT ...

LES ŒUVRES ÉCRITES PAR DES GOURMETS SONT INTÉRESSANTES À PLUS D'UN TITRE...

LES GOÛTS, LES ÉMOTIONS, TOUTES LES SENSATIONS ÉTONNANTES QU'ILS DÉCRIVENT ...
M'INVITENT À UN VOYAGE DANS LE MONDE DE L'IMAGINAIRE ...
J'aime beaucoup le fromage..
"UN DESSERT SANS FROMAGE EST UNE BELLE À LAQUELLE IL MANQUE UN ŒIL", A-T-IL ÉCRIT...
CET APHO-RISME EST DES PLUS INTÉRES-SANTS...

QU'EST-CE QUE LE FROMAGE, POUR NOUS ?
J'AI DÉJÀ BEAUCOUP EXPÉRIMENTÉ, MAIS MA CURIOSITÉ EST INFINIE ...
L'ART GASTRONOMIQUE EST SANS FOND, TU SAIS...
...
QUELLE ESSENCE PEUT ÉVEILLER NOTRE APPÉTIT ?
D'AILLEURS KEN, QUEL EST TON FROMAGE PRÉFÉRÉ ?
ALLEZ, DIS-MOI !
MOI ?!
JE N'Y AI JAMAIS RÉFLÉCHI ...
DÉJÀ QUE J'ÉVITE LES REPAS ...
EUH...
VOILÀ VOS CAFÉS !

C'EST DOMMAGE...
CERTAINS N'AIMENT PAS, CELA PEUT ARRIVER...
TIENS, QU'EST-CE QUE C'EST ?
ÇA ?

CES CUBES VIENNENT DE M. YOSHIMURA ...
IL LES FAIT SPÉCIALEMENT POUR MOI ...

ILS ME PERMETTENT JUSTE DE CALMER MA FAIM, MAIS...
CELA ME SUFFIT DÉJÀ AMPLEMENT ...
TU TE CONTENTES ...

DE CES CHOSES RIDICULES ?

PARDON ?
NON, RIEN ...
ALORS, QUE PENSES-TU DU LIVRE DE BRILLAT-SAVARIN ?

EH BIEN, IL EST INTÉRESSANT POUR CONNAÎTRE LE CONTEXTE DE L'ÉPOQUE...
CETTE QUÊTE GASTRONOMIQUE INSENSÉE EST AMUSANTE, ELLE AUSSI ...

TOUT À FAIT ! J'ADORE PARTICULIÈREMENT UN DE CES PASSAGES "INSENSÉS"...
RENDS-LE-MOI UN INSTANT...
KWIP
AÏE !
OOH, JE T'AI FAIT MAL ?!
CE N'EST RIEN, C'EST JUSTE UNE ÉGRATIGNURE...
JE SUIS NAVRÉ !

VOUS ALLEZ SALIR VOTRE MOUCHOIR !
NE T'EN FAIS PAS.
COMPRESSE TON DOIGT JUSQU'À LA FIN DE L'HÉMORRAGIE...
À PROPOS...
DE QUOI PARLIEZ-VOUS, AVEC LIZE ?
EH BIEN, MERCI ...
DISCUTER LITTÉRATURE EST INTÉRESSANT, MAIS JE DOIS AUSSI ABORDER LA QUESTION DE CE RESTAURANT... COMMENT FAIRE...
ELLE ADORAIT LA LECTURE, ALORS ...
ON DISCUTAIT DE LIVRES, BIEN ÉVIDEMMENT ...
ET DES ENDROITS OÙ ELLE VIVAIT AVANT SON ARRIVÉE DANS LE 20E...
LIZE ?
ET AUSSI DE GASTRONOMIE...
MERCI POUR TON INVITATION, SHU... MAIS...

CE CLUB PRIVÉ GASTRONOMIQUE NE M'INTÉRESSE PAS DU TOUT...
POUR-QUOI ?!
LA QUÊTE DU GOÛT TE LAISSE INSENSIBLE ?!
JE N'AIME PAS ÊTRE LIMITÉE EN QUANTITÉ PAR LA TAILLE DE L'ASSIETTE...
!
CERTES, J'AI DES PRÉFÉRENCES AU NIVEAU DE LA QUALITÉ DE MES REPAS ...
C'EST TOUJOURS PLUS AGRÉABLE QUAND LA NOURRITURE SENT BON...
...
HI HI !
POUR MOI, UNE GOULE QUI A DES PRÉFÉRENCES CULINAIRES...
C'EST UNE GOULE QUI FAIT LA DIFFICILE AVEC LA NOURRITURE ...
TU TE PRENDS POUR UN HUMAIN ? C'EST RIDICULE...
SHU LE "GOURMET"...
HI HI

UNE TRUIE QUI PLONGE SON GROIN DANS L'AUGE...
PARDON ?
UNE TRUIE !
UNE TRUIE !
UNE GROSSE TRUIE !

CETTE FEMME...
NE PENSAIT QU'À REMPLIR SON ESTOMAC...

DE QUEL DROIT S'EST-ELLE AINSI MOQUÉE DE MA PASSION ?!
CRISH

EST-CE QUE... TOUT VA BIEN ?
SHU ?
CRIP
OH !

J'AI PERDU MON SANG-FROID, JE SUIS DÉSOLÉ...
À VRAI DIRE, NOTRE BONNE RELATION N'A PAS DURÉ BIEN LONGTEMPS ...

MINCE, LA TASSE ...
ON A FINI PAR SE DISPUTER POUR NE PLUS JAMAIS SE RÉCONCILIER ...
JE... JE VOIS...
AU FAIT, LE SANG NE COULE PLUS ? JE VAIS LAVER MON MOUCHOIR...
MERCI, ET PARDON...

TOILET
PSHHH

ON DIRAIT BIEN QUE J'AI GAFFÉ...
KWIP
J'AI ÉVEILLÉ SA VIGILANCE ...

DU CALME, MON PETIT SHU, DU CALME... RESTE TRANQUILLE ...
ENCORE UN PEU DE PATIENCE...

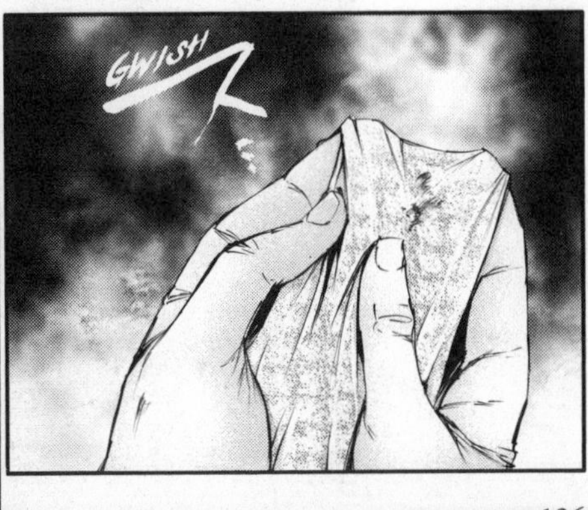
GWISH

MFF...

"LA DÉCOUVERTE D'UN METS NOUVEAU FAIT PLUS POUR LE BONHEUR DU GENRE HUMAIN QUE LA DÉCOUVERTE D'UNE ÉTOILE."
MWAAH...
HAA...
CE MÉLANGE DE SAVEURS À LA FOIS ...
DOUCES ET ACIDES ...
QUELLE RICHE HARMONIE...
MFFF
HAA
RAAH

VOUS AVIEZ RAISON, MON CHER SAVARIN...
PIK
PIK

AU FINAL, JE N'AI PAS PU ABORDER LE SUJET DU RESTAURANT SECRET...
MERCI, KEN...
J'AI PASSÉ UN BON MOMENT AVEC TOI...
MERCI À VOUS !

PASSER UN APRÈS-MIDI SI AGRÉABLE M'A OUVERT L'APPÉTIT ! PAS TOI ?
!

CO... COMMENT FAITES-VOUS POUR PRENDRE VOS REPAS ?
QUELLE CHANCE !

VOUS DEVEZ CONNAÎTRE DE BONS RESTAURANTS, JE SUPPOSE ...

MA QUESTION ÉTAIT TROP DIRECTE ?
...
APRÈS AVOIR DIT ÉVITER LES REPAS...

EH BIEN, TU ME SURPRENDS... JE COMPTAIS JUSTEMENT TE MONTRER UN RESTAURANT, AUJOURD'HUI ...
OH !

C'EST UN ENDROIT PRIVÉ ET SECRET, MAIS TU POURRAS Y ENTRER GRÂCE À MON INVITATION ...
J'AIMERAIS T'INITIER À LA HAUTE GASTRONOMIE ...
...

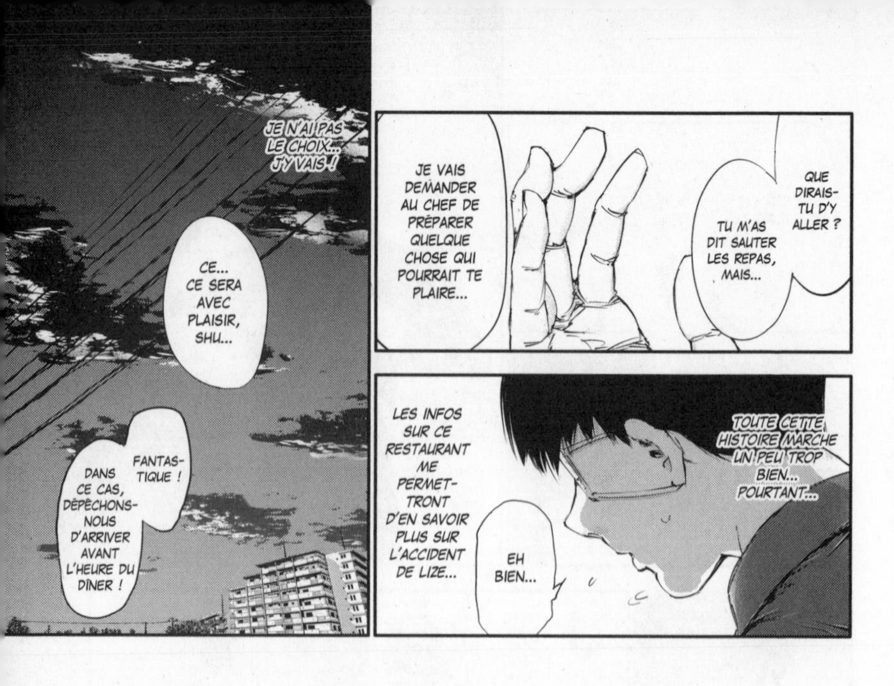
QUE DIRAIS-TU D'Y ALLER ?
TU M'AS DIT SAUTER LES REPAS, MAIS...
JE VAIS DEMANDER AU CHEF DE PRÉPARER QUELQUE CHOSE QUI POURRAIT TE PLAIRE...
TOUTE CETTE HISTOIRE MARCHE UN PEU TROP BIEN... POURTANT...
EH BIEN...
LES INFOS SUR CE RESTAURANT ME PERMETTRONT D'EN SAVOIR PLUS SUR L'ACCIDENT DE LIZE...
JE N'AI PAS LE CHOIX... J'Y VAIS !
CE... CE SERA AVEC PLAISIR, SHU...
FANTASTIQUE !
DANS CE CAS, DÉPÊCHONS-NOUS D'ARRIVER AVANT L'HEURE DU DÎNER !

J'EN FRÉMIS D'IMPATIENCE !
...

C'EST QUE... J'AI JUSTE CETTE TENUE...
NE T'INQUIÈTE PAS, J'AI TOUT PRÉVU !

OH, MERCI !
BONSOIR MESSIEURS ...
...

C'EST ENTENDU !
SI VOUS VOULEZ BIEN ME SUIVRE...
À TOUT DE SUITE, KEN.
OUI !
...

LE VOILÀ DONC, CE FAMEUX "RESTAURANT DES GOULES"...
J'ESPÈRE NE PAS TROUVER DE CHAIR DANS MON ASSIETTE ...
HÉ HÉ

#037
Dîner

VOUS SEMBLEZ AVOIR TRANSPIRÉ...
VOICI LA SALLE DE DOUCHE POUR VOUS LAVER...

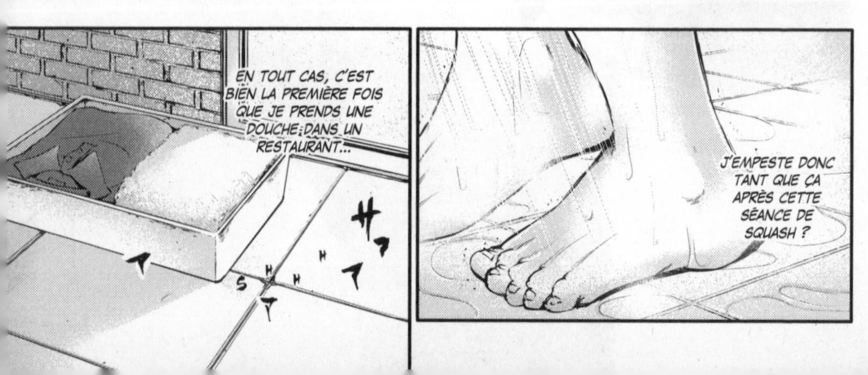
J'EMPESTE DONC TANT QUE ÇA APRÈS CETTE SÉANCE DE SQUASH ?
EN TOUT CAS, C'EST BIEN LA PREMIÈRE FOIS QUE JE PRENDS UNE DOUCHE DANS UN RESTAURANT...

OUAH...
WOO
CE COSTUME VOUS IRA À MERVEILLE, MONSIEUR...
M... MERCI...
SI VOUS VOULEZ BIEN ATTENDRE DANS LA PIÈCE VOISINE...
OUI...
CE RESTAURANT DISPOSE MÊME D'UN STOCK DE COSTUMES... C'EST IMPRESSIONNANT ...

UN RESTAURANT RÉSERVÉ AUX GOULES...
ACCESSIBLE UNIQUEMENT SUR INVITATION...
ET AVEC COSTUME OBLIGATOIRE...

ITORI POURRAIT OBTENIR ELLE-MÊME CES INFORMATIONS ...
POUR L'INSTANT, JE N'AI RIEN DÉCOUVERT DE SENSATIONNEL ...
CLAC
ガチャ

!

OH... BONSOIR !

BONSOIR...

JE COMMENÇAIS À M'INQUIÉTER DE VOIR QUE NOUS N'ÉTIONS QUE DEUX À ATTENDRE...
C'EST... UN HUMAIN ?
JE SUIS KOBACHI, JOURNALISTE POUR LA REVUE GASTRONOMIQUE "TOKYO GOURMET", DE LA SHOEISHA !
VOICI MA CARTE !

TU ES AU LYCÉE ?
À L'UNIVERSITÉ !
C'EST IMPRESSIONNANT DE VOIR QU'UN JEUNE COMME TOI CONNAÎT CE GENRE DE RESTAURANT PRIVÉ...
CE COMPLIMENT VAUT AUSSI POUR VOUS, MADEMOISELLE...

JE VIENS À PEINE DE DÉCOUVRIR L'EXISTENCE DE CET ÉTABLISSEMENT...
PAR L'INTERMÉDIAIRE D'UNE CONNAISSANCE...
OH !
MOI AUSSI...
JE CONNAIS PAS MAL DE BONS RESTAURANTS À TOKYO, ET POURTANT...
J'IGNORAIS TOUT DE CET ÉTABLISSEMENT...

CE M. MITARAI QUI M'A INVITÉ ...
AURAIT QUAND MÊME PU ME PRÉVENIR QUE L'ATTENTE SERAIT LONGUE...
J'AURAIS AIMÉ FAIRE UN PAPIER SUR UN AUTRE RESTAURANT, AVANT DE VENIR ICI...
VOTRE ACCOMPAGNANT VOUS A LAISSÉ À L'ENTRÉE ?
OUI...

LE COSTUME ÉTANT OBLIGATOIRE, ON M'A MÊME CONDUIT DANS UN VESTIAIRE POUR QUE JE PUISSE ME CHANGER...
COMME POUR MOI...

D'AILLEURS, JE RESTE SURPRIS DE TROUVER UN HUMAIN ORDINAIRE...
LE PLUS ÉTONNANT ÉTAIT CETTE DOUCHE QU'ON M'A DEMANDÉ DE PRENDRE ...
DANS UN RESTAURANT RÉSERVÉ AUX GOULES...
TAK
TAK
BONSOIR...

VOICI DU CAFÉ EN APÉRITIF...
SERVEZ-VOUS EN ATTENDANT ...
CES BISCUITS SONT SECS ET FADES, MAIS BIZARREMENT ...
ILS RENFORCENT L'AMBIANCE POMPEUSE DU LIEU...

?
SNIF
...

CHERS INVITÉS...
VEUILLEZ ME SUIVRE, JE VOUS PRIE...

UNE SEULE TABLE, UNE PLAQUE DE CUISSON, ET... C'EST TOUT ?
OOH, TRÈS BIEN... TRÈS BIEN...
ON SE SENT PRIVILÉGIÉ...
VEUILLEZ PATIENTER, S'IL VOUS PLAÎT.

IL FAUT ENCORE ATTENDRE ?!
JE MEURS DE FAIM, MOI...

NOUS SOMMES LES SEULS CLIENTS DU RESTAURANT ?
LE CHEF VA CUISINER DEVANT NOUS !

KONG
CLANG
IL Y A UN PROBLÈME ?
SHLANG

LA PORTE EST FERMÉE À CLÉ...
ON NE PEUT PLUS SORTIR...
À CLÉ ?

MAINTENANT QUE J'Y PENSE...

POUR VENIR ICI, NOUS AVONS EMPRUNTÉ UN UNIQUE PASSAGE ÉTROIT DONT...

TOUTES LES FENÊTRES ÉTAIENT CONDAMNÉES...

ET MAINTENANT, LA PORTE EST VERROUILLÉE...
ON VEUT NOUS EMPÊCHER DE SORTIR ?

À QUEL GENRE DE CUISINE VA-T-ON AVOIR DROIT ?
VIANDE ? FRUITS DE MER ?
J'AI HÂTE !
M. KOBACHI ME RAPPELLE UN PEU HIDE !
JE M'INQUIÈ-TE POUR RIEN...

MERCI DE VOTRE PATIENCE !!
LE DÎNER SERA BIENTÔT SERVI !
AH, ENFIN !!
KLONG
!

VOICI LES TROIS INGRÉDIENTS DE CE SOIR !
BLA BLA
BLA BLA

IL VOUS EST SERVI PAR M. TR !

PASSONS À L'INGRÉDIENT SUIVANT...

ELLE VOUS EST SERVIE PAR M. PG !
BON-SOIR !
SOTA !!
OUI, MA DOUCE AMI ?

TU M'AS MENTI, C'EST ÇA ?!
DURANT TOUT CE TEMPS !
ET CETTE DEMANDE EN MARIAGE ?!
JE PENSAIS QUE CE DÎNER SERAIT...
REGARDEZ-LA SUER COMME UN PORC...

!
NE M'EN VEUX PAS TROP !
JAMAIS JE NE POURRAIS TOMBER AMOUREUX D'UNE TRUIE !
J'ADORE LES FILLES CANON !
TU...
TU M'AS TOUJOURS PARU UN PEU LOUCHE !!
ALLONS BON...
TU NE MANGEAIS RIEN, TU DÉBITAIS DES INCOHÉ-RENCES...

EXCUSEZ SES GROGNEMENTS ! SACHEZ QUE JE N'AI CESSÉ DE LA GAVER EN PRÉVISION DE CE SOIR !
AFIN DE BIEN L'ENGRAIS-SER !
CRÈVE, ESPÈCE DE LÂCHE !
RAAH ! RAAAH !!
JE SAVAIS QUE TU ÉTAIS UN MONSTRE ! JE LE SAVAIS !
RÉGALEZ-VOUS DE SA CHAIR BIEN GRASSE !
OUUUH...
C'EST DE LA FOLIE...
ET POUR FINIR, UN INGRÉDIENT RARE...
UNE GOULE !!

UNE GOULE ?
MANGER UN DE NOS SEMBLABLES, NON MERCI ...
FOURNIE PAR M. MM !
MERCI, M. MM...
QUOI ??
TU ES...

MESDAMES ET MESSIEURS ...
JE COMPRENDS VOTRE HÉSITATION.
LA CHAIR D'UNE GOULE N'A PAS BON GOÛT, SURTOUT...
POUR LES FINS GASTRONOMES QUE VOUS ÊTES.
...

M. MM NOUS A TOUJOURS FOURNI DES INGRÉDIENTS RAFFINÉS, MAIS...
LA CHAIR D'UNE GOULE, NON MERCI...
C'EST BARBARE !

C'EST AVANT TOUT SON ODEUR QUI M'A ATTIRÉ...

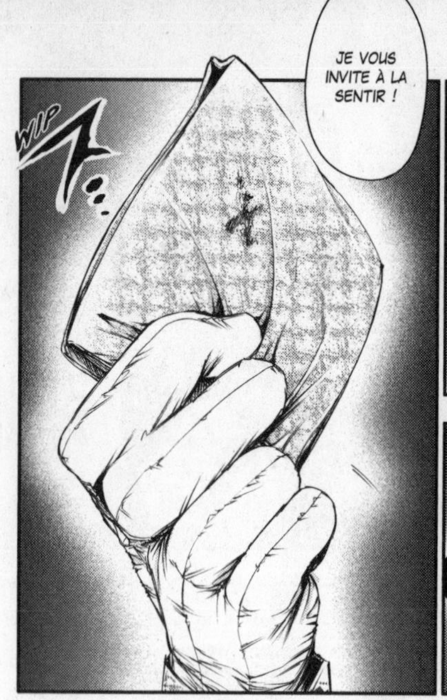
JE VOUS INVITE À LA SENTIR !
WIP

TIENS ? ÉTONNANT ...
C'EST APPÉTISSANT...

QUELLE HARMONIE DE SENTEURS...
CETTE ODEUR, C'EST ...
OUI !

CE GARÇON EST UNE GOULE, ET POURTANT ...
IL DÉGAGE UN FUMET HUMAIN !
...

CETTE ODEUR SUSCITE-T-ELLE VOTRE CURIOSITÉ ?
QUEL GOÛT PEUT BIEN AVOIR LA CHAIR D'UNE GOULE AU PARFUM HUMAIN ?
DE NOUVELLES SENSATIONS GUSTATIVES ET OLFACTIVES NOUS ATTEN-DENT !
DÉCOUVRONS-LES !
SLAM
AVANT DE VENIR ICI, JE L'AI FAIT SUER ET JE LUI AI FAIT PRENDRE DU CAFÉ...
AFIN DE SUBLIMER LE GOÛT DE SA TENDRE CHAIR !

TOUS ENSEMBLE ...
PARTAGEONS L'EXTASE DE CETTE DÉGUSTATION !!
OOH !!
BRAVO !!

DOF
C'EST QUOI, CE THÉÂTRE ?!
SHU TSUKIYAMA, LE GOURMET...
TOUT CELA N'ÉTAIT QU'UN PIÈGE...
SALUT !
JE N'Y AI JAMAIS RÉFLÉCHI...
?!
MOI ?!
EUH...
SA VISITE À LA FAC, SON INVITATION AU CAFÉ...
QUEL IDIOT J'AI ÉTÉ DE TOMBER DEDANS...
L'AFFAIRE LIZE NE M'A DONC RIEN APPRIS ?

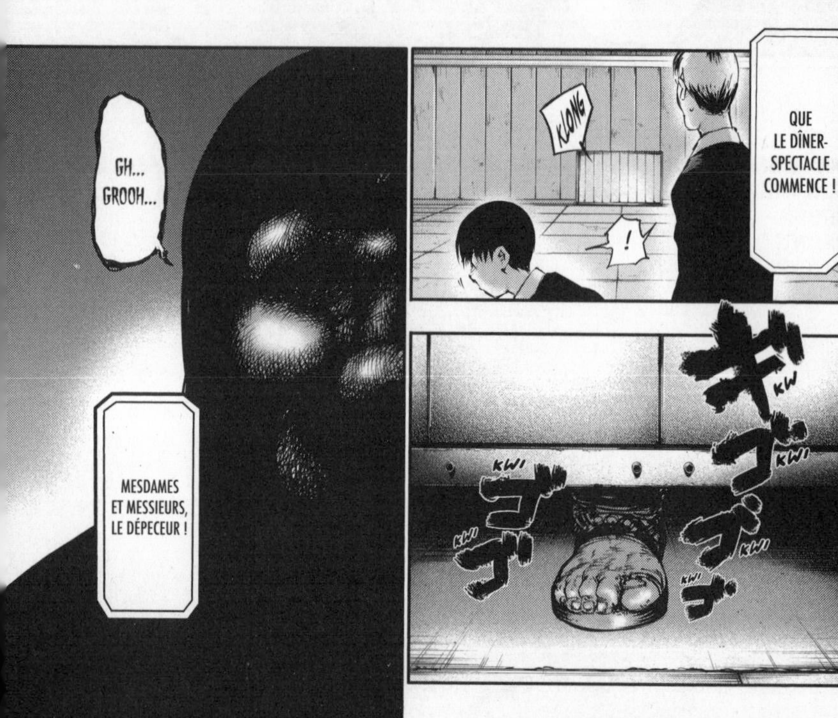
QUE LE DÎNER-SPECTACLE COMMENCE !
KLONG
!
KW
KWI
KWI
KWI
KWI
KWI
GH... GROOH...
MESDAMES ET MESSIEURS, LE DÉPECEUR !

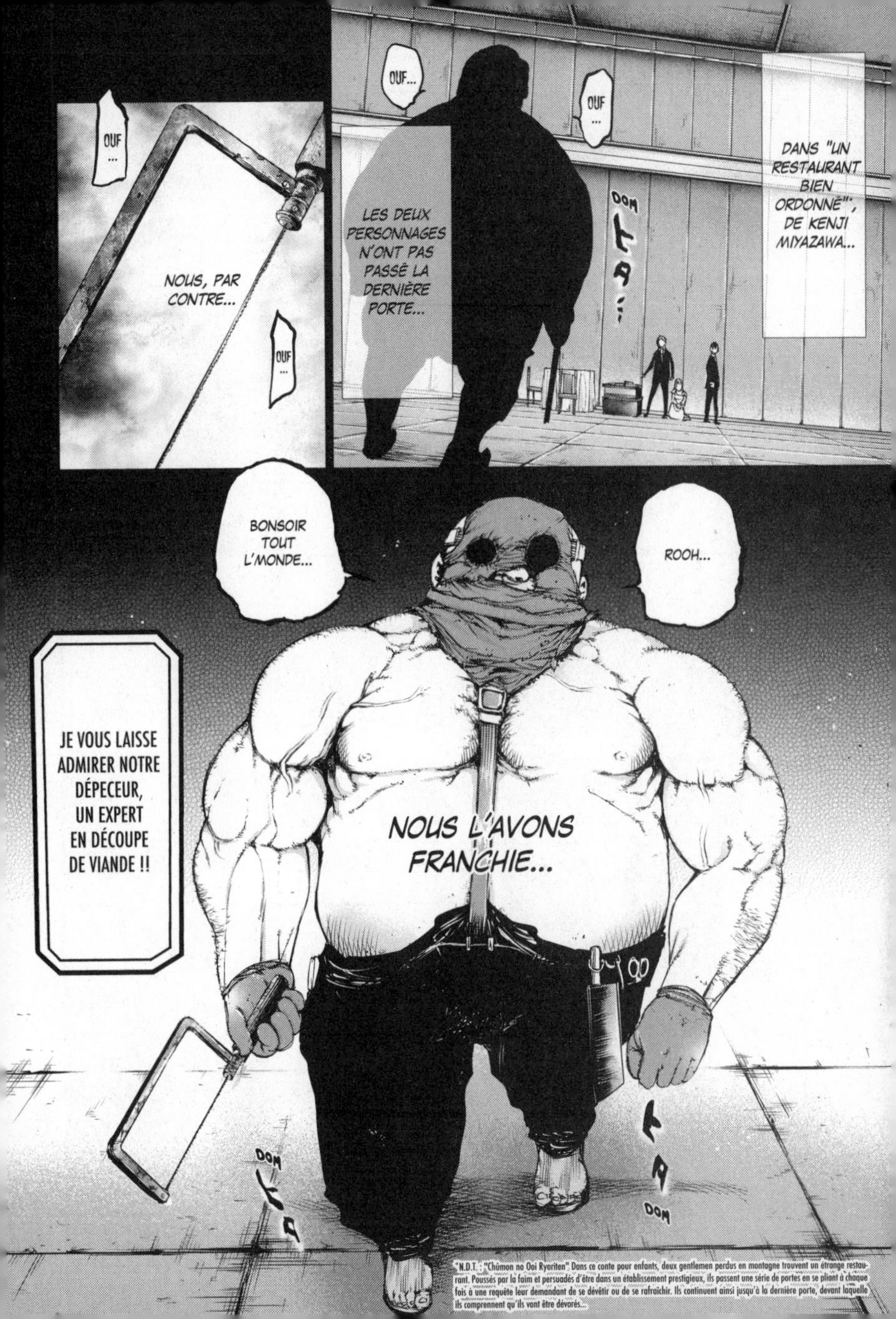

*N.D.T. : "Chûmon no Ooi Ryoriten". Dans ce conte pour enfants, deux gentlemen perdus en montagne trouvent un étrange restaurant. Poussés par la faim et persuadés d'être dans un établissement prestigieux, ils passent une série de portes en se pliant à chaque fois à une requête leur demandant de se dévêtir ou de se rafraîchir. Ils continuent ainsi jusqu'à la dernière porte, devant laquelle ils comprennent qu'ils vont être dévorés...

#038 Dépeçage

JE SUIS TRÈS SURPRIS PAR LA DIMENSION DU DÉCOR ...
SANS PARLER DU NOMBRE D'ACTEURS QUE VOUS EMPLOYEZ !
GWAP
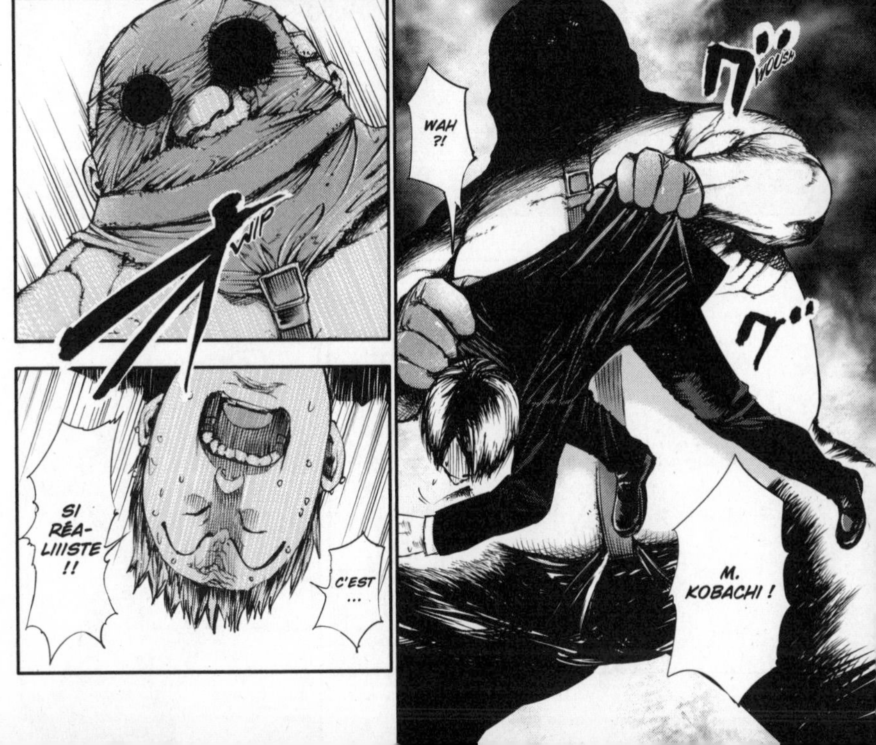
WOUSH
WAH ?!
M. KOBACHI !
WIP
C'EST ...
SI RÉA-LIIISTE !!

BROM
OUGH ...
?!

AIE...
NON...
NON !
OUH ...
AAH !!
KWIK
KWIP KWIP KWIP KWIP
KWIK
KWIK
KWIP
AIE AIE !
MA P'TITE SCIE QUI CHANTE !!
KWIK
AAH !!
RAAH !!

RAAH ...
AAARGH !!
SHRIP

OUUUH ...
HIII ...
UN BRAS FRAIS, UN !
WIP
OOH !
TONK
J'EN VEUX UN BOUT !

HII...
HII...

WAH...
WOM
HII...
HII...

SHRAC
...
...
...
OUUUH !!
OUAAH ...
AAAHR... RRÊTEEEZ !!
SHRAC

VOICI POUR LA DÉCOUPE DU PREMIER CORPS !
LE PERSONNEL VA BIENTÔT ...
VOUS LE SERVIR EN HORS-D'ŒUVRE !

EUH... JE...
AH !
MLLE AMI !

VENEZ PAR ICI !
JE VAIS TENTER QUELQUE CHOSE !
...

TAP
MA ZOLIE SCIE !
DOM
DOM

RESTEZ BIEN DERRIÈRE MOI...
D'ABORD, OBSERVER MON ADVERSAIRE...

IL A L'AVANTAGE PHYSIQUE, MAIS SI J'ARRIVE À LE SURPRENDRE...

BONK
?!

BROF

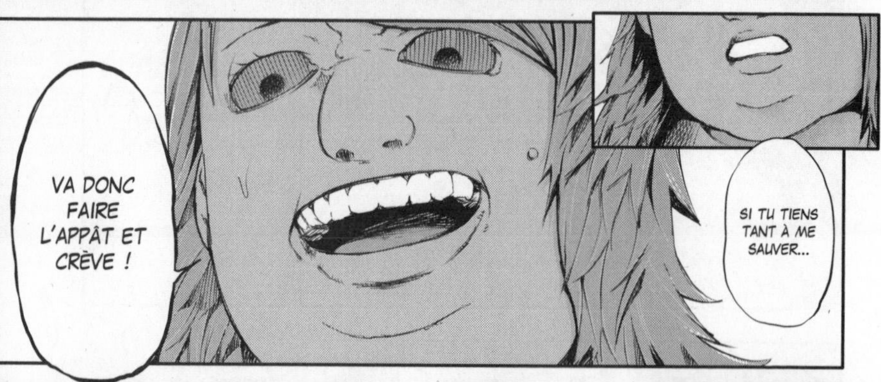
SI TU TIENS TANT À ME SAUVER...
VA DONC FAIRE L'APPÂT ET CRÈVE !

HO HOOO ! C'EST BIEN, AMI !
HA HA ! REGAR-DEZ-LA ...
LE LAIDERON NE PENSE QU'À SAUVER SA PEAU !
QUANT À CETTE GOULE, QUELLE MOLLESSE !

WOM
MLLE AMI...

DWOOM

KHH...
WIP
WIP
WIP
WIP

MEUH...

BWISH
QUOI ?

LUI, PLAT PRINCIPAL
...
LUI, L'EST MORT...
ET L'ENTRÉE ?
...

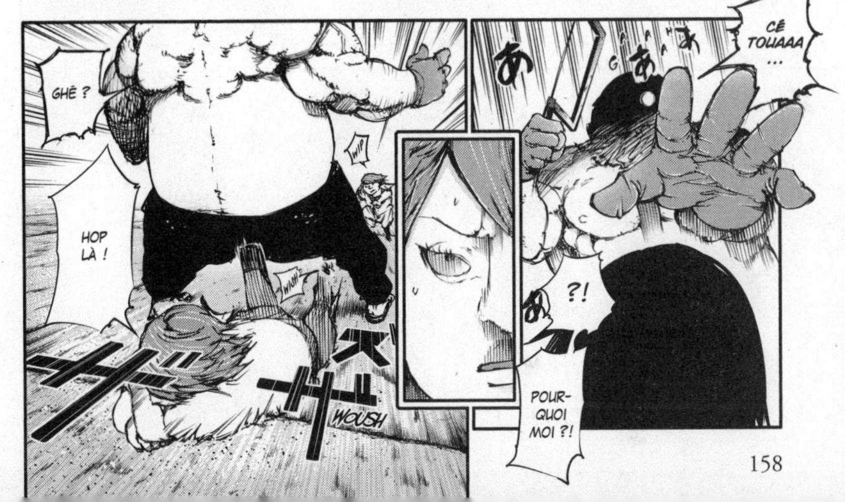
CÊ TOUAAA
...
GAAAH
?!
POUR-QUOI MOI ?!
GHÊ ?
WIP
HOP LÀ !
WISH
WOUSH

DOM
DOM
VIENS LÀÀÀ...
DOM
OOH ! ELLE COURT VITE POUR UNE GROSSE !
DOM
DOM
DOM

C'EST VRAI, J'OUBLIAIS ...

MOI, AUTREFOIS ...
QUAND J'ÉTAIS LYCÉENNE, J'AI FAIT ...
DE L'ATHLÉTISME AU NIVEAU NATIONAL !!
JE N'AI GROSSI QU'APRÈS !
LE DÉPECEUR EST ENCOURAGÉ PAR MME A., SA PROPRIÉTAIRE !
COURS, TARO ! COURS !!

ILS SONT AGILES TOUS LES DEUX !
T'ÉCHAPPE PAAAS...
NOS VERRES ONT SOIF DE LEUR SANG !!
ALLEZ, MONTRE-NOUS LEURS ENTRAILLES !

HA !
HA !
OUF !
OUF !
TAP
TAP

BWISH
?!

BROF

LE POISON FAIT ENFIN SON EFFET SUR LA FEMME...
M... MES JAMBES...

LE POISON ?
OH...
ALLEZ, BOUGEZ !
MES JAMBES !

JE LUI AI TROUVÉ UNE ODEUR BIZARRE, À CE CAFÉ...
IL ÉTAIT DONC EMPOI-SONNÉ...

SOYEZ SANS CRAINTE, LEUR ESTOMAC SERA LAVÉ APRÈS L'ABATTAGE ...
MA P'TITE SCIE...
JE PEUX P... PLUS...
BOU... BOUGER...
QUI SCIE QUI SCIE...
DOM
DOM

NON...
NOOON !!
WOUSH
MA P'TITE TABLE ...
QUI CUIT QUI CUIT...
SHRR...
NON... ARRÊ-TE...
ARRÊ-TE...
KSHHH
HRRR !!
POULET GRILLÉÉÉ ...
HÉ, ELLE N'A PAS PRIS DE DOUCHE !
RAAA-AAAH !!
CE DÉPECEUR IGNORE TOUT DES MÉTHODES DE CUISSON ...
...
GHH !!
... ...
ÇA CUIT...
GWIIIH !!
OUUH !!
GWAA-AAAH !!

JE SUIS LE DERNIER...

SI J'ARRIVE À ME DÉBARRASSER DU DÉPECEUR...
TOUTES LES GOULES VONT ME TOMBER DESSUS, MÊME...

!
WIP

WOUSH
WIP

STAP

BONK
HI HI...
ÇA PIQUE...
AUCUN EFFET...
IL EST SI GROS QU'IL N'A RIEN SENTI...

COURAGE, TARO !
TU AURAS UN CADEAU SI TU RÉUSSIS !
PAM PAM
ALLEZ !
C'EST BIEN MON PETIT TARO !
MA... MAN...

MAMAAAN !!
DOM
DOM
DOM
DOM
DOM
DOM
DOM
!
STAP

DWOON
GAH !!
GUEUH !!
DANS MES BRAAAS ...
KWIISH
LÂCHE-MOI !
WIP
KWI KWI...
KWI KWI !
A... ATTENDS ...
N... NON ...
GRIP
NON !
COUPE COUPE !
ARRÊTE !!
MA P'TITE SCIE...
HII ...
TINK

GNÊ ?
...
CRISH
GWAP

BROF
OUILLE !!
BOM
AÏE !

HA HA...
IL EN FAUDRA PLUS POUR DÉCOUPER UNE GOULE...
TARO N'EST PAS À LA HAUTEUR ...
SEULE UNE GOULE PEUT TRANCHER UNE GOULE ...
DANS CE CAS, COMMENT VA-T-ON CUISINER CET INGRÉDIENT ?

MMH...

APPORTEZ LE FAMEUX OUTIL...
OUI.

?
OUH
ぴくん

QU'EST-CE DONC ?
UNE MAL-LETTE ?

?
QUOI ENCORE ?

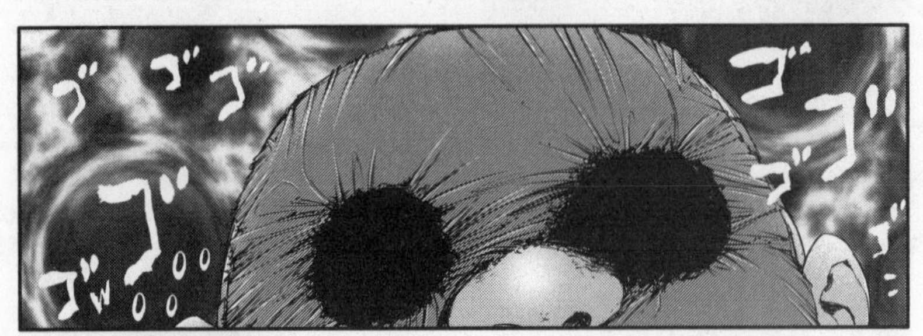

...
?

TIREZ ICI EN TENANT CE BOUTON APPUYÉ...
VOUI...

CETTE MALLETTE ME DIT QUELQUE CHOSE...
TIENS ?

TINK
TAK
GAAH...
SHLAK
...
TU AURAS MOINS DE PROBLÈME ...
AVEC UN QUINQUE !

MAIS C'EST...
OOH ...

UNE ARME DES COLOMBES ? C'EST EFFRAYANT, M. MM !
QUELLE HORREUR ...
CEPENDANT, VOUS PENSEZ À TOUT !

CET OBJET EST UN SOUVENIR ...
JE L'AI CHOISI EN RAISON DE SA FACILITÉ D'UTILISATION ...
UN SOUVENIR, DITES-VOUS ?

TOUT DE MÊME...

LA RUMEUR CONCERNANT CE GARÇON ÉTAIT FONDÉE...
PARDON ?

0 3 9

ON LE DIT ASSEZ FORT POUR BATTRE UN INSPECTEUR DU QUARTIER GÉNÉRAL DU C.C.G...
WOSH
#039
Banquet

IL EST PUISSANT, MAIS C'EST TOUT...
SHRR

IL NE MONTRE AUCUNE LOGIQUE DANS SES ATTAQUES ...
CONTRAIREMENT À CET INSPECTEUR...

PEU IMPORTE ...
JE DOIS TROUVER UN MOYEN DE FILER D'ICI...

...
KEN EST IMPRESSIONNANT ...
MAIS POURQUOI N'UTILISE-T-IL PAS SON KAGUNE ?
OOH, BRAVO !

DÉPÊCHE-TOI DE LE TUER ! JE MEURS DE FAIM !!
ALLEZ LE LOURDAUD, VITE !
BONK
JE DOIS DÉJÀ NEUTRALISER LA PLUS GRANDE MENACE...

JUDO
KARATE
FRAPPEZ LES PARTIES DURES DU CORPS.
CONTRE UN ADVERSAIRE PLUS GRAND QUE VOUS...
TOURNEZ SA PAUME VERS LE HAUT...
PUIS SOULEVEZ SON BRAS TOUT EN LE TORDANT...
AVANT DE FRAPPER LE COUDE...
D'UN COUP DE PIED REMONTANT...

GWIP
DÉSOLÉ !!
GNÊ ?
SHRAK

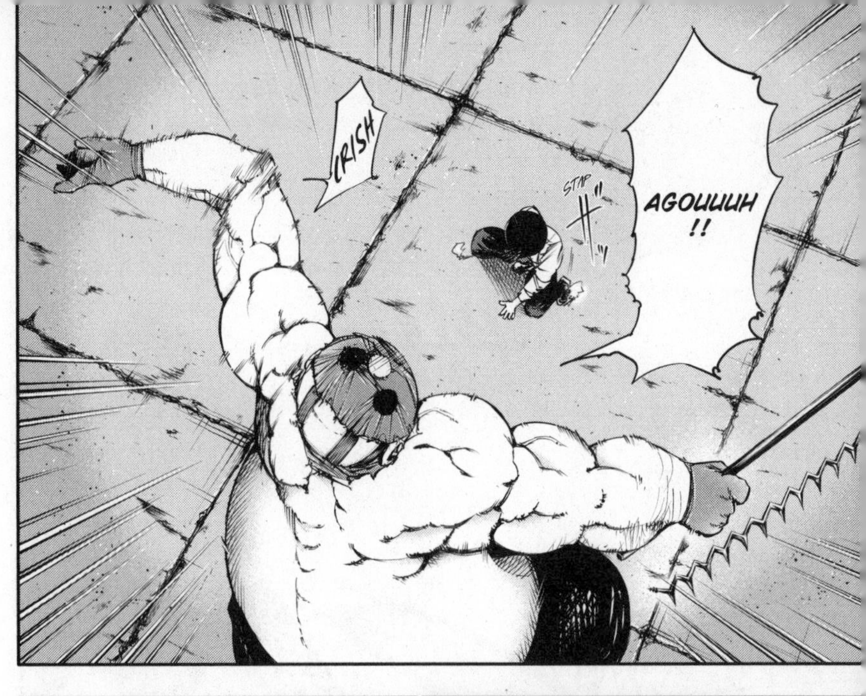
AGOUUUH !!
STAP
CRISH

TARO !
TIENS...
HO
HO
LA SITUATION S'ENVENIME ?
OUILLE ...
ÉTONNANT, CE MOUVEMENT ...
SON ATTAQUE M'A PARUE SACCADÉE...
COMME S'IL LA RÉALISAIT POUR LA PREMIÈRE FOIS...

!
TU UTILISES TES CONNAIS-SANCES THÉORIQUES À LA VOLÉE !
MALGRÉ CE CONTEXTE DIFFICILE !
BRAVO, KEN !
POUR LA PREMIÈRE FOIS...
MAIS OUI !
JE TE FÉLICITE !!
HÉLAS, JE SUIS PLUS DOUÉ QUE TOI À CE JEU...
HIN HIN
DANS UN SPECTACLE ...
LA FIN EST TOUJOURS ÉCRITE À L'AVANCE !!
GAAH ...
EN ACCEPTANT DE PARTICIPER À CETTE MASCARADE ...
OUUH ...
TU AS PLACÉ TON DESTIN ENTRE MES MAINS !

SWAK
!
?!
BWISH
MMH...
OUGH...
AAH...
BROF
HOUF !!
HOUF !!
EH BIEN ?
IL A TRÉBU-CHÉ ?
CE SOIR NOUS AVONS AJOUTÉ, SUR LES CONSEILS DE M. MM...
CRIC
UNE MESURE DE SÉCURITÉ.

SON EFFET TARDE À SE FAIRE SENTIR, MAIS...
OOH, QUELLE ORGANISATION ...
UN GAZ A ÉTÉ DIFFUSÉ EN COMPLÉMENT DU CAFÉ SERVI À NOS TROIS INGRÉDIENTS ...
L'ACTION DE CE GAZ EST LENTE... CEPENDANT ...
IL EMPÊCHE DÉJÀ LE GIBIER DE SE DÉBATTRE ...
DU GAZ ?
LES FENÊTRES CONDAMNÉES, DANS CE COULOIR ...
ET MAINTENANT, PLACE AU BOUQUET FINAL !
C'ÉTAIT DONC POUR ÇA...
SHH
SHH
WIP
KWI KWIIK !!
KWISH
GWAAAH !!

OUUUH ...
OUGH ...
OOH...
TRÈS BIEN !
TIENS ?
?!
MAIS... C'EST...
REGARDEZ...

OUUH...
KWIIISH
HAA...
SNIF... SNIF...
RAAH...

WOUSH
GUEH !

BAM
WOOM
DAM

REGARDEZ, IL... IL N'A QU'UN...
QU'UN ŒIL ROUGE !
UNE GOULE À L'ŒIL ÉCARLATE ??!
L'ŒIL ÉCARLATE ?! HIII !!

C'EST INCROYABLE ...
CETTE GOULE LÉGENDAIRE EXISTE DONC VRAIMENT ?

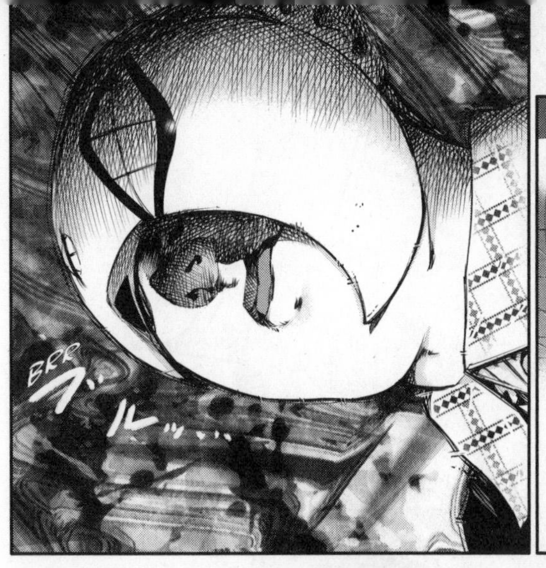
BRR

HAA...
MON CORPS EST ENGOUR-DI...
BROF
PLIC
PLISH

ALLEZ MES JAMBES ...
BRR
BOUGEZ... BOUGEZ !!
BRR

TA...
TARO, VAS-Y !
C'EST LE MOMENT !!
TUE-LE !

Z'AI... MAL...

DÉCOUPE-LE, MON PETIT TARO ! EXCITE MAMAN !
UN ŒIL ÉCARLATE...
MA...
MAN...
UNE CHAIR RARE ...
MERDE ...
UN GOÛT UNIQUE ...
POUR DES PORCS...
...
M. MM ?
TAP
?!

OUH...

BWOK
OOH ...
!
CHERS INVITÉS... VEUILLEZ EXCUSER CE REMUE-MÉNAGE...
J'IGNORAIS QUE CETTE GOULE ÉTAIT...
LE MALÉFIQUE "ŒIL ÉCARLATE"...
OUILLE ...
J'AI MAL AU DOS...
GWISH
CEPENDANT...
JE N'AI AUCUNE ENVIE DE GÂCHER NOTRE BANQUET...

SHBOM
VOICI MA PROPOSITION !
STAP

QUE DIRIEZ-VOUS DE DÉGUSTER ...
SLURP
LA PROPRIÉTÉ DE MME A, LE "DÉPECEUR" ?!

OH...
MAIS...

BROOM
MON PETIT TAROOO...

LA...
LA CHAIR DU DÉPECEUR ?
BLA
ÇA NE SE REFUSE PAS...
BLA
JE SUIS INTÉRESSÉ...
BLA
PROPOSITION ACCEPTÉE, M. MM !!
BLA

VOUS N'AVIEZ PAS LE DROIT DE TUER TARO !!
OOH, MADAME...
PARDONNEZ MON IMPOLITESSE...

TIP
CEPENDANT, J'AI CRU SENTIR...
QUE CE TARO COMMENÇAIT À VOUS LASSER...

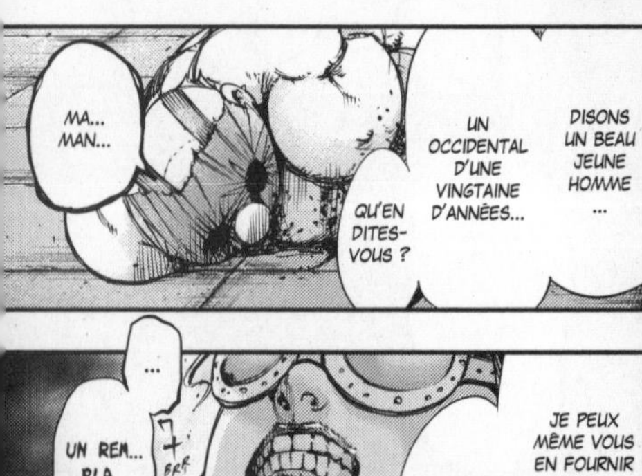
JE SAURAI LUI TROUVER UN REMPLAÇANT À VOTRE GOÛT...
DISONS UN BEAU JEUNE HOMME...
UN OCCIDENTAL D'UNE VINGTAINE D'ANNÉES...
QU'EN DITES-VOUS ?
MA... MAN...

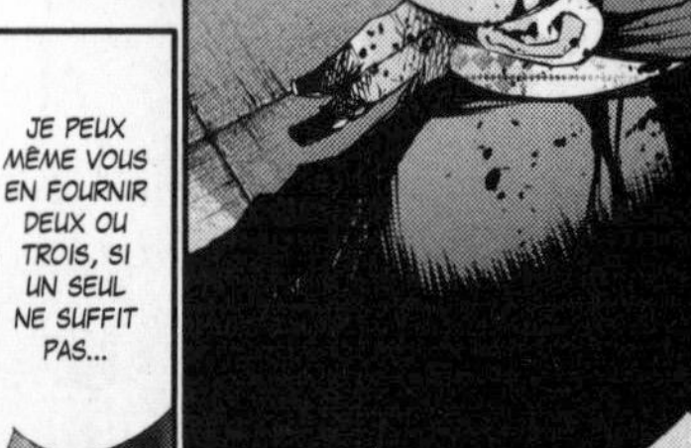
JE PEUX MÊME VOUS EN FOURNIR DEUX OU TROIS, SI UN SEUL NE SUFFIT PAS...
ACCORDEZ-MOI SIMPLEMENT UN DÉLAI D'UN MOIS...
...
UN REM... PLA... ÇANT ?
BRR
BRR

DÉGUSTER TARO N'EST PAS UNE MAUVAISE IDÉE !!
MARCHÉ CONCLU !
MA... MAN...
FLIC
MA...

QUANT À TOI KEN, NOUS ALLONS TE GARDER AU FRAIS...
TAP

WIP
J'ESPÈRE QUE TU APPRÉCIES MON HUMOUR ...

PAS QUESTION DE PARTAGER...
UNE ÉPICE AUSSI RARE !
TA SOIRÉE N'A PAS ÉTÉ FACILE, MAIS... TOURNONS LA PAGE, VEUX-TU ?
Tokyo Ghoul Tome 4 - Fin

Tokyo Ghoul

Sui Ishida

Assistants Eda
Ryuji Miyamoto
Mizuki Ide
Matsuzaki

Design
Hideaki Shimada (L.S.D.)

Page de garde
Miyuki Takaoka (POCKET)

Responsable éditorial
Junpei Matsuo

HÊ...
KADO...
QUOI DONC, SUMI ?

ON LE CONNAÎT PAS, CELUI-LÀ...
NON...

ET IL FOUILLE DANS NOTRE FRIGO, HEIN ?
AFFIR-MATIF !
REGARDE-LE FOURRER NOTRE VIANDE FRAÎCHE DANS SON SAC...
IL LE FAIT L'AIR DE RIEN, COMME S'IL AVAIT TOUJOURS VÉCU ICI ...

ET IL NOUS IGNORE, MALGRÉ LA PRESSION QU'ON LUI MET À PARLER DANS SON DOS...
EN EFFET ...
IL SE PREND POUR UN TYPE QUI A DU CARACTÈRE, POUR UN DUR !
BON, À PLUS...
TAP TAP
TIENS... LE VOILÀ QUI RENTRE CHEZ LUI, MAINTE-NANT !

C'ÉTAIT UN VOLEUR, OU PLUTÔT UN CAMBRIOLEUR ... DIS UTA, TU NOUS ÉCOUTES ?
OUI.

IL PRENAIT NOTRE VIANDE, ALORS ON LUI A DEMANDÉ DE LA RENDRE...
DU COUP, IL NOUS A ÉCLATÉS TOUS LES DEUX...

EXCUSEZ-MOI...
OUI ?

À VOTRE AVIS, QUELLE PAIRE DE LUNETTES ME VA LE MIEUX ?
CELLE-CI OU CELLE-LÀ ?
EH BIEN...

TAP
TAP

TU AS EMMÉNAGÉ DANS MON QUARTIER ?
DONNE-MOI AU MOINS TON NOM...

HÉ, VOUS PARTEZ EN GUERRE ?
BANDE DE RACAIL-LES !
TIENS, ITORI !
NON, EN FAIT...
ON VA ENQUÊTER SUR UNE NOUVELLE GOULE, UN TYPE LOUCHE...

T'ES QUI, TOI ?
ELLES SONT MOCHES, TES LUNETTES ...

Plus tard...
C'EST LUI ! IL EST JEUNE ...
IL DOIT AVOIR LE MÊME ÂGE QUE TOI, UTA...
C'EST VRAIMENT LUI QUI VOUS A DÉMOLIS TOUS LES DEUX ?

...
HÉ, LES GARS...

DÉGAGE ! ESPÈCE DE RATÉ...
ALORS...

ÇA VOUS DIRAIT DE LE VOIR PLEURER COMME UNE FILLETTE ?
AÏE
HÉ HÉ HÉ... IL VA LE PAYER CHER...
UTA EST PLEIN D'AR-DEUR !
LE SANG VA COULER DANS LE 4e !
IL ÉTAIT PLUS FORT QUE PRÉVU...
OUILLE
N'EMPÊCHE, SES LUNETTES ÉTAIENT MOCHES...

Ménage
PLISH
PLISH

Lessive
SURTOUT, BIEN CACHER...
LES SOUS-VÊTEMENTS ...

Feuilleton TV
Lecture
...

Ennui
VIVEMENT QUE TOKA REEENTRE !
BROF

C'EST MOI !
TIENS ?

HINAMI FAIT UNE SIESTE...
AVEC LE VENTRE À L'AIR...
FRR
FRR
PONIK

...
HIN
HIN

QUELQU'UN A DESSINÉ UN VISAGE SUR MON VENTRE ...
TU VEUX BIEN M'EXPLIQUER, TOKA ?
J'EN SAIS RIEN, MOI...
TOKA !

Merci d'avoir lu ce quatrième tome !

Cela fait déjà un an que la série a débuté.

"Je vais me débrouiller tout seul, sans assistant." Maintenant que j'y repense, ma décision était vraiment folle, surtout qu'il s'agissait d'une première expérience : première série et premiers dessins entièrement réalisés sur ordinateur. Mais c'est du passé, aujourd'hui.

J'ai vécu un véritable cauchemar, quand je me suis retrouvé à dessiner le premier tome avec un seul assistant. Je remercie Eda du fond du cœur pour son aide.

J'ai encore beaucoup à apprendre, mais votre soutien à toutes et à tous est le meilleur des encouragements ! Merci infiniment !

SUI ISHIDA

TOKYO GHOUL

First published in Japan in 2011 by SHUEISHA Inc., Tokyo.
French translation rights in France, French-speaking Belgium, Luxembourg, Monaco, Switzerland and Canada arranged by SHUEISHA Inc. through VIZ Media Europe, SARL, France.

Édition française
Traduction depuis le japonais : Akiko Indei et Pierre Fernande
Correction : Yoann Passuello
Lettrage : Aurélien Flamant

Couvent Sainte-Cécile – 37, rue Servan – 38000 Grenoble
ISBN : 978-2-7234-9829-6
ISSN : 1253-1928
Dépôt légal : mars 2014

Achevé d'imprimer en Italie en octobre 2019 par Grafica Veneta
sur papier provenant de forêts gérées de manière durable

www.glenat.com